D1290917

Éditrice et auteure : Caty Bérubé

Directrice générale : Julie Doddridge

Chef d'équipe production éditoriale : Isabelle Roy
Chef d'équipe production graphique : Marie-Christine Langlois
Chefs cuisiniers : Benoit Boudreau et Richard Houde.

Rédactrice en chef : Geneviève Boisvert
Collaboratrices : Charlotte Geroudet et Karine Larose.
Rédactrices : Annie Lavoie et Raphaële St-Laurent Pelletier.
Recherchiste culinaire : Isabelle Chabot
Réviseures : Marilou Cloutier et Corinne Dallain.
Assistantes à la production : Edmonde Barry et Marie-Pier Marceau.
Conceptrices graphiques : Annie Gauthier, Arianne Leclerc Jodoin,
Ariane Michaud-Gagnon, Myriam Poulin et Claudia Renaud.
Spécialiste en traitement d'images et calibration photo : Yves Vaillancourt
Photographes : Francis Gauthier, Rémy Germain, Marie-Ève Lévesque et Jessie Marcoux.
Stylistes culinaires : Laurie Collin, Katerine Doyon et Christine Morin.
Assistante styliste : Carly Harvey
Maquilleuse : Émilie Couture

Directeur de la distribution : Marcel Bernatchez
Distribution : Éditions Pratico-Pratiques et Messageries ADP.

Impression : TC Interglobe

Dépôt légal : 1er trimestre 2017
Bibliothèque et Archives nationales du Québec
Bibliothèque et Archives Canada
ISBN 978-2-89658-950-0

Photos et images des banques d'images Shutterstock et iStockphoto : p. 11, p. 16, p. 17, p. 18, p. 19, p. 20, p. 21, p. 22, p. 23, p. 24, p. 26, p. 27, p. 30, p. 65, p. 68, p. 80, p. 81, p. 122, p. 123, p. 127, p. 168, p. 169, p. 204 p. 216.

Gouvernement du Québec - Programme de crédit d'impôt pour l'édition de livres - Gestion SODEC

1685, boulevard Talbot, Québec (QC) G2N 0C6
Tél. : 418 877-0259
Sans frais : 1 866 882-0091
Téléc. : 418 780-1716
www.pratico-pratiques.com

Commentaires et suggestions : info@pratico-pratiques.com

Karine Larose
kinésiologue, Nautilus Plus

Charlotte Geroudet
nutritionniste

avec Caty

10 lb en 1 mois

Mon défi (un peu fou), je l'ai réussi !

avec *Caty*

10 lb en 1 mois

Mon défi (un peu fou), je l'ai réussi !

Table des matières

Un rêve réalisable... et réalisé !

Je m'amuse parfois à dresser ma *bucket list*, ou en d'autres mots, la liste des rêves que je voudrais réaliser. Comme pour bien des gens, cette liste contient plein de destinations exotiques à découvrir, des noms de personnalités connues à rencontrer, des défis divers à relever, des propriétés à acquérir... et 20 livres à perdre !

Sur la plupart des éléments de ma liste, je n'ai pas beaucoup de pouvoir réel, mais sur la perte de poids, oui ! Cela m'appartient à 100 % ! Cela ne dépend que de moi : de ce que je mange et de l'exercice que je fais (ou que je ne fais pas !). Pour réaliser ce rêve, il ne me manquait que la motivation et, disons-le, le courage. Le courage de changer mes habitudes, de me priver de gâteries tellement réconfortantes au quotidien.

Quand l'idée de concevoir un livre présentant un programme de gestion de poids complet a commencé à germer dans mon esprit, j'ai décidé de me lancer un défi personnel : celui de tester moi-même le programme. Voilà une source de motivation incroyable ! En plus de me décider enfin à perdre du poids, je voulais créer un livre vraiment pratique, avec une approche appliquée au quotidien et des solutions réalistes. Et je l'ai fait !

Pour m'accompagner dans ce processus, j'ai fait appel à deux expertes qui collaborent de façon régulière à nos magazines depuis plusieurs années. Il s'agit de Karine Larose, qui en plus d'être kinésiologue a aussi publié plusieurs ouvrages sur l'exercice et la perte de poids, et de Charlotte Geroudet qui, en tant que nutritionniste, accompagne plusieurs de ses clients en processus de perte de poids : elle connaît donc les pièges à éviter et les défis à relever !

Je me suis également alliée avec une experte en contenu cuisine, santé et minceur : Geneviève Boisvert, la rédactrice en chef de notre magazine *Gabrielle*. En plus de profiter d'une belle expérience en développement de contenus minceur, Geneviève est créative et efficace : deux qualités qui étaient essentielles à la réalisation de ce projet.

Pourquoi vouloir perdre 10 livres ?

Je traînais une bonne vingtaine de livres en trop depuis plusieurs années. J'ai toujours relativement bien mangé ; je ne suis pas du genre à engouffrer un contenant de crème glacée ou un gros sac de *chips* devant la télé. Par contre, je suis une épicurienne, et toutes les occasions sont bonnes pour prendre un petit verre de vin ! Quant à ma vie de chef d'entreprise, elle est souvent ponctuée de repas d'affaires, de galas et autres soirées mondaines.

Et que dire de mon travail au quotidien ? Voir de belles photos de bouffe, discuter du choix des recettes, participer à des *brainstorm* de création de recettes, goûter à celles que nos chefs ont conçues... Comment ne pas engraisser ? Combiné à mes deux grossesses qui m'ont laissé chacune une dizaine de livres en cadeau, tout ça a fait en sorte que je me suis retrouvée avec des courbes un peu trop généreuses à mon goût.

Dire que **mon apparence** n'était pas ma première source de motivation pour perdre du poids serait mentir. Comme la plupart des femmes, j'aime me sentir belle, porter de nouveaux vêtements qui m'avantagent et j'apprécie les compliments. Si je me sentais relativement bien dans ma peau au quotidien, c'est lorsque je me voyais en photo que le malaise s'installait. Surtout en vacances, habillée d'un simple maillot. Ça ne pardonne pas !

Être en **meilleure santé** constituait également une grande source de motivation pour moi. Je suis bien consciente des bienfaits de l'exercice et d'une saine alimentation sur le corps et l'esprit. De plus, j'ai lu plusieurs articles résumant des études qui confirment à quel point un surplus de poids est néfaste pour la santé.

Une autre bonne raison qui m'a motivée à perdre du poids ? Avoir **plus d'énergie** au quotidien ! Je suis une personne hyper dynamique. Je mords dans la vie ! J'aime être occupée, je carbure aux projets, j'adore découvrir des choses, vivre de nouvelles expériences... Pour faire tout cela sans être essoufflée, il faut être en forme... Et traîner 20 livres en trop, ça ralentit !

Et cette vie que j'aime tellement, je veux qu'elle dure longtemps. Je veux **vieillir en santé.** J'ai la chance d'avoir un modèle formidable : ma mère ! Elle est âgée de 78 ans et elle a la démarche d'une femme de 40 ans. Elle est en pleine forme ! Elle surveille son alimentation et marche tous les jours. Vieillir en santé, comme elle, permet de profiter d'une qualité de vie tellement meilleure !

On investit dans des REER pour s'assurer d'un certain confort matériel à la retraite, mais qu'est-ce que cela donnera si l'on n'est pas assez en forme pour en profiter ?

« Une autre bonne raison qui m'a motivée à perdre du poids ? Avoir plus d'énergie au quotidien ! Je suis une personne hyper dynamique. Je mords dans la vie ! J'aime être occupée, je carbure aux projets, j'adore découvrir des choses, vivre de nouvelles expériences... Pour faire tout cela sans être essoufflée, il faut être en forme... Et traîner 20 livres en trop, ça ralentit ! »
— Caty

Si moi je suis capable, tout le monde est capable !

Vous regardez le programme d'exercices et vous pensez que vous ne serez pas capable ? Eh bien ! Dites-vous que si j'ai réussi à le faire, tout le monde peut le faire ! Je n'ai jamais été sportive. J'étais plutôt du genre de celles que l'on choisissait en dernier au primaire lorsqu'il fallait composer des équipes en éducation physique. Du genre qui retarde son groupe de chefs d'entreprise parti en défi sportif dans Charlevoix.

Par contre, j'ai toujours tenu à faire de l'exercice régulièrement. J'ai toujours cru aux bienfaits de l'exercice pour la santé. Mon activité de prédilection est et sera toujours la marche. Sur la plage, de préférence, mais en forêt autant qu'en ville, seule ou accompagnée, j'adore ça ! Ça me permet de laisser vagabonder mon esprit, c'est très zen. Faire 10 000 pas par jour n'a donc pas été une punition pour moi.

Mais faire du cardio, des exercices de musculation, c'est autre chose ! Pour dire vrai, j'ai mis pas mal de temps à bien comprendre les exercices à chaque début de programme. Je n'ai pas de coordination, mon cerveau a de la difficulté à faire le lien entre l'exercice que Karine fait sur photo et les mouvements que je dois indiquer à mon corps d'exécuter.

Si l'exécution des mouvements n'a pas été facile d'emblée, j'y suis arrivée après quelques pratiques. En fait, j'étais de plus en plus à l'aise à chaque séance. À la fin de mes quatre semaines, j'y prenais même un certain plaisir. Incroyable, n'est-ce pas ?

Pas de culpabilité, pas de privation extrême !

Avant de préparer le menu des quatre semaines de mon programme de perte de poids, Geneviève et moi avons défini nos critères de sélection de recettes. J'ai « passé » mes commandes : des idées de lunchs rapides pour le midi, des repas un peu *fast-food* pour me gâter le vendredi, des soupers un peu plus gourmands le samedi soir accompagnés d'un petit dessert léger et des brunchs le dimanche. Je voulais que mes repas s'adaptent bien à ma routine et à mon mode de vie.

Je ne crois pas aux régimes drastiques qui nous arrêtent de vivre, qui nous placent en mode privation. J'ai tellement aimé les recettes que j'ai testées pendant ce programme que j'en ai conservé plusieurs dans mon menu habituel. J'ai fait plein de belles découvertes !

Et j'ai écouté Charlotte, notre nutritionniste : j'ai mis la culpabilité à *off* les petites fois où j'ai un peu dérogé du plan de match prévu. Ça m'a permis de conserver ma motivation et de continuer sur ma belle lancée une fois les quatre semaines du programme terminées.

« Croyez-moi : tous ces petits efforts et ces petits changements d'habitudes en valent la peine ! Eh oui, je suis fière de dire que j'ai perdu 10 livres en 1 mois ! »

Caty

Vers une meilleure qualité de vie

Je suis très excitée de collaborer à cet ouvrage qui a comme objectif premier de vous accompagner vers une perte de poids saine en un mois. Mon expérience à titre de kinésiologue et de directrice des communications de Nautilus Plus m'a permis de parfaire mes connaissances en ce qui a trait à l'adoption de saines habitudes de vie et aux facteurs de réussite liés à une perte de poids durable. Je travaille avec nos entraîneurs personnels et nos nutritionnistes qui guident et conseillent des milliers de Québécois dans leur cheminement vers une meilleure santé et le maintien de celle-ci. D'autre part, j'ai rédigé un livre inspiré du programme d'encadrement 10-4 : perdre sainement 10 livres en 4 semaines de Nautilus Plus : je peux vous confirmer que perdre 10 livres en un mois est réellement possible si vous faites les efforts nécessaires au quotidien. Comme la combinaison de l'exercice et de la saine alimentation est essentielle à la réussite d'une perte de poids, ce livre vous propose un programme qui vous permettra d'atteindre votre objectif !

Je réalise toutefois qu'il peut être difficile de changer ses comportements, et particulièrement de manger sainement ainsi que de faire de l'exercice régulièrement. Ayant effectué mon mémoire de maîtrise sur les facteurs influençant l'assiduité à l'entraînement, je me suis assurée de partager avec vous des conseils et des trucs concrets pour vous aider à soutenir votre motivation pendant les quatre semaines. Vous verrez que dès que vous commencerez à récolter le fruit de vos efforts, votre motivation sera renforcée et votre enthousiasme sera accru. Soyez donc rassuré quant à votre capacité à relever ce défi !

J'ai créé le programme d'entraînement afin de maximiser la perte de gras ainsi que de maintenir, et idéalement développer, votre tonus musculaire. Alors suivez attentivement les recommandations de cet ouvrage et découvrez tous les bénéfices physiques et psychologiques associés à la pratique régulière de l'activité physique ! Vous constaterez que la perte de poids n'est qu'un seul des nombreux avantages à en retirer. Prenez soin de remarquer tous les autres changements qui feront une différence au quotidien en gardant en tête que votre santé sera la première récompensée !

Je vous souhaite donc de trouver plaisir à prendre soin de vous pendant ces quatre semaines. Que cet ouvrage soit le point de départ d'un nouveau mode de vie actif et sain pour que vous puissiez jouir d'une meilleure qualité de vie, à vie !

Karine Larose

Karine Larose, M.Sc.
Kinésiologue et directrice des communications de Nautilus Plus

Just do it !

Ne vous posez pas de question ! L'exercice et la saine alimentation, c'est le secret pour avoir une meilleure qualité de vie ! Aimez-vous assez pour vous mettre en priorité ! En prenant soin de vous, vous serez aussi mieux disposé à prendre soin des gens qui vous entourent. Les bénéfices sont tellement nombreux et vont au-delà de la perte de poids, vous verrez !

— Karine

Saines habitudes de vie : une question d'équilibre et de plaisir

La saine gestion du poids représente pour moi une approche qui est fondée sur l'apprentissage et l'acquisition de bonnes habitudes alimentaires. Elle encourage l'atteinte et le maintien de l'équilibre en préconisant un mode de vie actif, le plaisir, la simplicité et la reconnaissance des signaux de faim et de satiété.

Il n'existe, à mon avis, aucun « régime miracle ». Ce n'est certainement pas la restriction ou la culpabilité alimentaire, malheureusement trop souvent véhiculées par de nombreuses méthodes de perte de poids, qui peuvent aider à changer durablement ses habitudes.

Les habitudes alimentaires sont certainement les plus difficiles à modifier, car elles nous suivent depuis notre enfance. Il n'y a pas d'âge pour apprendre et il me plaît de croire que la vie est un long chemin d'apprentissage. Il n'est donc jamais trop tard pour s'améliorer et mettre en place de petits changements bénéfiques pour sa santé.

On ne devrait pas manger en ayant comme seul objectif de perdre du poids, mais plutôt pour s'assurer de maintenir une bonne santé, avoir du plaisir et partager un bon moment.

En tant que nutritionniste, j'aimerais vous dire qu'il n'est pas utile ou nécessaire de viser la perfection dans son assiette. En fait, pour avoir une alimentation parfaite, il faut accepter qu'elle ne le soit jamais et que c'est tout à fait normal et acceptable. Ne compromettez pas le plaisir procuré par les aliments en essayant de tout contrôler, car après tout, qui n'aime pas de temps en temps manger un bon dessert ou boire quelques coupes de vin ?

Je vous souhaite beaucoup de plaisir à découvrir le menu que nous avons élaboré pour vous dans cet ouvrage qui, je l'espère, saura vous convaincre que manger sainement, c'est facile, agréable et savoureux !

Geroudet Charlotte

Charlotte Geroudet, nutritionniste en pratique privée, charlottegeroudet.com, Nutrition Québec, nutritionquebec.com

> **Ce livre vous permettra de perdre du poids, mais ce sera une perte de poids saine, qui est contrôlée, graduelle, qui ne se fait pas dans la souffrance, mais plutôt par l'acquisition de saines habitudes et de sains réflexes.**
>
> — Charlotte

Objectif poids santé

Vous êtes déterminé à perdre les quelques livres qui vous séparent de votre bien-être total ? Voici quelques outils et informations utiles pour vous aider à cheminer vers cet objectif et à trouver la formule gagnante.

S'il n'existe aucune recette magique ou solution miracle pour perdre du poids, une règle bien logique peut vous aider à y parvenir si vous la suivez à la lettre : dépenser plus de calories que vous n'en consommez ! Mais attention : pour obtenir un bilan énergétique négatif à la fin de la journée, l'idée n'est pas d'opter pour un régime hypocalorique ! Pour maigrir dans les règles de l'art et être capable de maintenir notre poids santé au fil des ans, la meilleure solution qui soit est de combiner saine alimentation et activité physique. L'un ne va pas sans l'autre !

Petit bémol avec l'IMC : on peut se trouver dans la catégorie « excès de poids », mais être en bonne santé. Ce serait à cause de notre morphologie (par exemple : lourd squelette et petite taille).

CLASSIFICATION	IMC	RISQUE DE DÉVELOPPER DES PROBLÈMES DE SANTÉ
Poids insuffisant	< 18,5	Accru
Poids normal	18,5 - 24,9	Moindre
Excès de poids	25,0 - 29,9	Accru
Obésité classe I	30,0 - 34,9	Élevé
Obésité classe II	35,0 - 39,9	Très élevé
Obésité classe III	> 40,0	Extrêmement élevé

Comment savoir si on a un poids santé ?

Qu'on se le dise : le poids idéal de l'un n'est pas forcément le même pour l'autre ! Pour savoir si on a un poids santé, il faut calculer notre **indice de masse corporelle** (IMC). On obtient celui-ci en divisant notre poids (en kg) par notre taille au carré (en mètres). Il faut savoir que plus on s'éloigne de la catégorie « poids normal », plus les risques de développer des problèmes de santé sont élevés.

IMC = **POIDS (KG) / TAILLE² (M)**

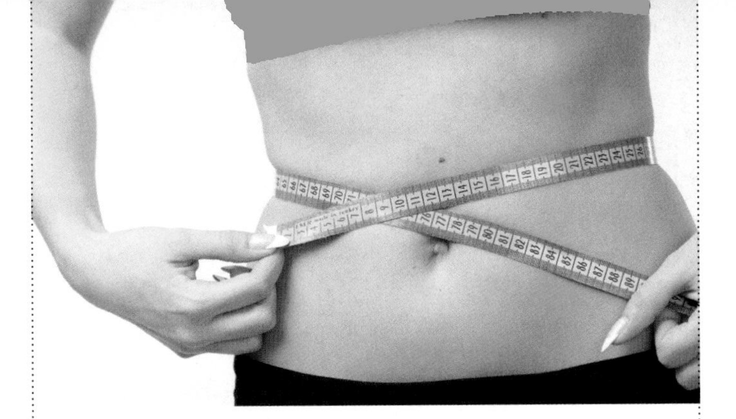

L'IMPORTANCE du tour de taille

L'IMC ne tient pas compte de la répartition de la graisse sur le corps. Puisque la graisse qui s'accumule en quantité anormale autour de l'abdomen peut avoir de graves conséquences sur la santé, il est aussi recommandé de mesurer notre tour de taille pour évaluer les risques de développer des maladies cardiovasculaires. Pour ce faire, il suffit de placer un ruban à mesurer directement sous la dernière côte. Pour avoir des données justes, il faut noter la mesure au niveau du nombril, à la fin d'une expiration, le ventre bien relâché.

Risque de maladies cardiovasculaires, de diabète de type 2 et d'hypertension selon le tour de taille

TOUR DE TAILLE SELON LE SEXE	DEGRÉ DE RISQUE
H < 94 cm (37 po) F < 80 cm (32 po)	Moindre
H entre 94 et 102 cm (37-40 po) F entre 80 et 88 cm (32-35 po)	Accru
H ≥ 102 cm (40 po) F ≥ 88 cm (35 po)	Élevé

Source : https://www.icm-mhi.org/fr/prevention/adopter-de-saines-habitudes-de-vie/facteurs-de-risque

C'est quoi le métabolisme de base ?

C'est l'énergie (en calories) dépensée par notre corps au repos pour assurer ses fonctions de base (respiration, fonctionnement des organes vitaux, régulation de la température corporelle, réparation des tissus, etc.). Le rythme du métabolisme de base diffère d'une personne à l'autre et varie selon le sexe, l'âge et le pourcentage de gras corporel. Lorsque l'on absorbe plus de calories que le nombre brûlé par notre métabolisme de base, il faut s'activer afin d'éviter qu'elles ne soient stockées dans le corps sous forme de graisse.

Comment estimer nos besoins en calories au quotidien ?

Dépendamment de notre niveau d'activité quotidien, notre dépense énergétique totale est appelée à varier… et nos besoins caloriques aussi ! Voici une petite formule pour connaître approximativement les vôtres.

DÉT = 387 - (7,31 x âge) + CA x ((10,9 x poids en kg) + (660,7 x taille en m))*

Légende

DÉT : dépense énergétique totale

CA : réfère à l'un des niveaux d'activités quotidiens suivants :

- **Sédentaire** (activités de base) : **1,00**
- **Peu actif** (activités de base avec 30 à 60 minutes d'activités modérées): **1,14** (femme), **1,12** (homme)
- **Actif** (activités de base avec 30 à 60 minutes d'activités intenses) : **1,27**
- **Très actif** (activités de base avec 60 minutes d'activités modérées et au moins 60 minutes d'activités intenses) : **1,45** (femme), **1,54** (homme)

Exemple pour une journée active d'une femme de 40 ans, mesurant 1,6 m et pesant 55 kg

DÉT = 387 – (292,4) + 1,27 ((599, 5) + 1 057,12))

DÉT = 94,6 + 1,27 (1 656,62)

DÉT = 94,6 + 2 103,91

DÉT = 2 198,51 calories

Comment calculer notre métabolisme de base ?

MB = 10 x (poids en kg) + 6,25 x (taille en cm) – 5 x (âge en années) – 161 (femme) ou + 5 (homme)*

Exemple pour une femme de 40 ans mesurant 1,6 m et pesant 55 kg

MB = (10 x 55) + (6,25 x 160) – (5 x 40) – 161

MB = 550 + 1 000 – 200

MB = 1 350 calories

* Formule de Mifflin-St. Jeor

NUTRITION

Les règles d'or d'une perte de poids saine

Avant de plonger dans le plan alimentaire proposé dans ce livre, il est essentiel de comprendre qu'en le respectant, vous verrez des résultats. Mais au-delà de la perte de poids, cet ouvrage a pour objectif de se réapproprier son alimentation, de lever la culpabilité et d'apprendre à écouter ses besoins alimentaires. Une perte de poids équilibrée devrait être contrôlée, graduelle et obtenue par l'acquisition de sains réflexes permettant de se sentir bien dans son corps.

En premier lieu, pensez à dresser un bilan de vos habitudes alimentaires. Cela vous permettra de souligner vos bons coups, de constater ce que vous pouvez améliorer, mais aussi d'établir clairement vos objectifs. Tenir un journal alimentaire pourrait aussi vous aider à bien visualiser votre démarche. Dans les pages qui suivent, nous démystifions quelques concepts liés à la perte de poids, en plus de présenter cinq grands principes d'un processus sain ainsi que plusieurs conseils sur la nutrition.

Perdre 1 livre : *une petite victoire !*

Saviez-vous que pour arriver à perdre 1 livre, il faut dépenser 3 500 calories ? Et pour ce faire, les efforts doivent être constants. Cela signifie que, même si vous brûlez 3 500 calories pendant un exercice physique, c'est le total des calories ingérées dans la semaine qui aura un impact au final. Si vous êtes découragé à l'idée de n'avoir perdu qu'une seule livre, gardez en tête que c'est le résultat d'un gros effort et que vous méritez plutôt une belle tape dans le dos !

SUR QUOI SE BASER POUR ÉVALUER SA PERTE DE POIDS ?

Puisque le poids d'une personne varie en fonction d'une panoplie de facteurs, il est essentiel de miser sur la recherche de résultats physiques plutôt que sur des résultats quantitatifs, c'est-à-dire sur le bien-être procuré plutôt que sur le poids affiché sur votre pèse-personne. **Les indicateurs d'une perte de poids devraient plutôt être la mesure du tour de taille ainsi que la comparaison de vêtements de tailles différentes, lesquels permettent de bien visualiser le « avant » et le « après ».**

Tentez, dans vos objectifs, de vous éloigner du chiffre et de viser une silhouette dans laquelle vous vous sentirez bien.

LE POIDS NORMAL : un concept totalement abstrait !

La plupart des gens en processus de perte de poids cherchent à atteindre un poids « normal », quantifié à la livre près. Mais « poids normal », ça veut dire quoi exactement ? Retenez que le chiffre qui s'affiche sur la balance n'a pas d'importance : il faut plutôt chercher à atteindre un poids qui respecte notre morphologie !

Une femme devrait viser un taux de gras se situant entre 20 et 30 % et un homme entre 10 et 20 %. Il est important de comprendre que différentes personnes peuvent avoir exactement le même taux de gras ou le même poids, mais afficher une silhouette totalement différente : la preuve que le concept de poids normal ne tient pas la route ! Cela s'explique en partie par trois différents morphotypes.

« Ce qu'il faut viser, c'est l'atteinte de votre poids naturel, c'est-à-dire le poids qui s'adaptera à votre morphologie et, normalement, qui vous permettra de vous sentir bien dans votre corps. »

— Charlotte

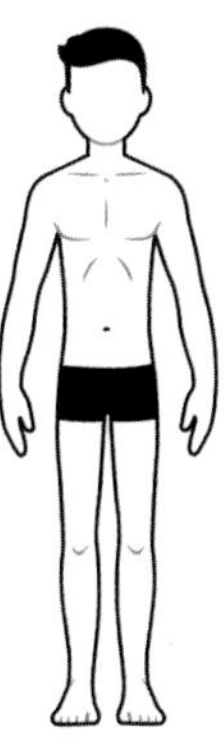

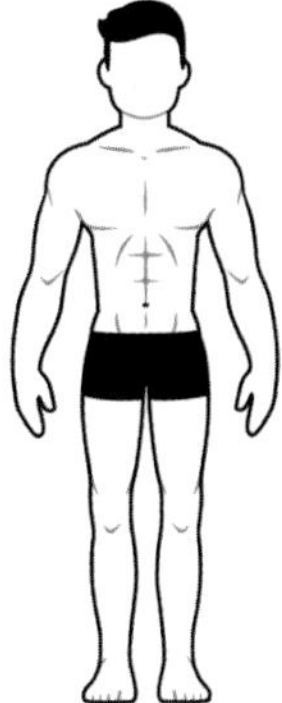

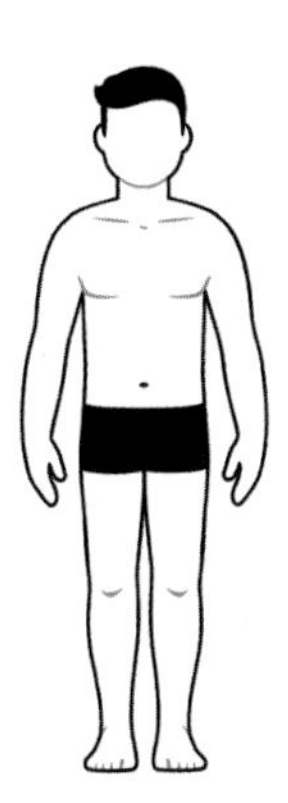

Ectomorphe

Ce type de silhouette très mince est caractérisé par un squelette fin, des membres longs ainsi que des épaules et des hanches menues. L'ectomorphe ne prend pas facilement de poids ni de masse musculaire.

Mésomorphe

Doté d'un squelette plus large, le type mésomorphe présente naturellement une bonne musculature. Il n'a pas tendance à emmagasiner trop de graisse. En général, le bassin et les épaules de la femme mésomorphe sont de même largeur.

Endomorphe

La silhouette de l'endomorphe est plus enrobée et son métabolisme est plus lent, de sorte qu'il prend facilement du poids. En revanche, il prend facilement de la masse musculaire.

Cinq grands principes d'un processus de perte de poids

1 Viser l'équilibre

Pour éviter d'associer perte de poids et souffrance, il est important de cuisiner des aliments qui nous font plaisir. À cet égard, rien n'est interdit : il s'agit d'écouter ses besoins. Par exemple, lors d'occasions spéciales, mieux vaut se permettre un morceau de gâteau que de se restreindre : en se privant, on risque davantage de succomber à tout ce qui nous tombe sous la main par la suite, puis de ressentir de la culpabilité. Pensez aussi à préparer des repas équilibrés, c'est-à-dire qui contiennent des aliments appartenant à chacun des quatre groupes alimentaires (fruits et légumes, viandes et substituts, produits céréaliers, produits laitiers) et de miser sur la variété afin de décupler le plaisir.

2 Réviser ses portions

Prenez conscience de la grosseur de vos portions. Petit truc pour les réviser : préférez des assiettes de plus petite taille, car plus l'assiette est grande, plus l'on tend à manger. De plus, **gardez toujours en tête de ne pas avoir plus de féculents que de protéines et de mettre le double de légumes dans l'assiette.**

3 Respecter sa faim et sa satiété

Pour éviter de prendre du poids, il est essentiel d'arrêter de manger dès que l'on se sent rassasié, que l'assiette soit vide ou non. Cela revient à dire qu'il faut savoir reconnaître ses signaux de faim et de satiété, mais surtout, qu'il faut savoir les respecter. Les signaux de faim et de satiété sont vos baromètres personnels ; ils permettent de maintenir votre propre équilibre.

Signaux de faim

- Sensation de vide, de creux
- Gargouillements de l'estomac
- Manque d'énergie
- Difficulté de concentration
- Intérêt pour la nourriture sans stimuli
- Augmentation de la production salivaire

Signaux de satiété

- Sensation de satisfaction
- Disparition des signaux de faim
- Diminution de l'intérêt envers les aliments

4 Éviter de sauter des repas

Ceux qui pensent bien faire en sautant un repas se trompent ! En évitant de répondre à un besoin au moment où l'organisme le fait ressentir, on crée un stress pour notre corps. Si l'on saute un repas, les conséquences ne seront pas mesurables sur le coup, mais le corps n'oubliera pas que son besoin n'a pas été comblé, et il se « vengera » en compensant avec des fringales qui se manifesteront en après-midi ou en soirée.

La prise du déjeuner est très importante, même si l'on ne ressent pas la faim. Ce repas permet de mettre fin à l'état de jeûne de la nuit et d'aider le corps à pallier le manque d'énergie. Le corps peut s'habituer à ne jamais recevoir de nourriture au déjeuner, mais il compensera en générant des fringales plus tard dans la journée ou en soirée.

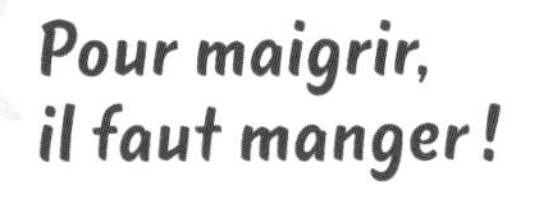

— Charlotte

5 Manger dans un contexte approprié

Pour éviter de manger de façon automatique et pour être à l'écoute de vos besoins, tentez de manger lentement – les signaux de satiété prennent environ 20 minutes à être ressentis –, assis à table, en évitant les distractions tel la télévision ou l'ordinateur. Pour favoriser la satiété, il est important de prendre son temps et de réellement goûter la saveur des aliments. S'entourer de gens pour déguster son repas, lorsque c'est possible, aiderait aussi à manger plus lentement.

Permis, pas permis ?

Les desserts, on y a droit ?

Le but est d'intégrer de sains réflexes que l'on maintiendra par la suite. La diabolisation de certains aliments n'est pas prônée ici, d'autant plus qu'elle ne reflète pas la réalité de tous les jours. Les desserts ne sont donc pas interdits : la privation risque davantage de vous faire tomber dans les excès. Il faut cependant apprendre à revoir les quantités nécessaires pour rendre un dessert agréable et distinguer l'envie que l'on comble de temps en temps de l'habitude qui, elle, peut devenir néfaste pour le tour de taille. Voici quelques petits trucs :

- Misez sur des portions de dessert de type mignardise, équivalant à environ 2-3 bouchées. Cela suffit souvent à combler un besoin psychologique.
- Cuisinez des desserts maison avec le plus de saveurs possible. Souvent, le simple fait de cuisiner et de sentir les arômes nous rassasie déjà un peu, et on a donc tendance à se servir une portion plus petite.
- Coupez les desserts en forme de triangle plutôt qu'en forme de carré : vous aurez l'impression d'en avoir plus.
- Si vous servez un dessert dans une verrine, choisissez des contenants plus étroits, mais plus hauts afin de créer l'illusion qu'ils en contiennent davantage.
- Pour combler les envies sucrées sans excès, offrez-vous un carré de chocolat noir. Souvent, cette simple gourmandise suffit pour combler le besoin et passer à autre chose.

Le pain, c'est oui ou c'est non ?

Il n'est pas nécessaire de couper le pain : il faut toutefois le compter dans votre apport en féculents et faire preuve de modération. Choisissez le pain le plus fibreux et le plus protéiné possible ! Idéalement, il ne devrait pas contenir plus de 3 g de lipides, 2 g de gras saturés et de gras trans ainsi que 360 mg de sodium et contenir au moins 2 g de fibres.

DÉTECTER LES FAUSSES FAIMS

15 heures. Vous rêvez d'engloutir un sac de croustilles ou une barre de chocolat ? Il s'agit probablement d'une fausse faim. Celle-ci répond à un besoin psychologique (réduire le stress, se réconforter, se désennuyer, etc.) ou à un stimulus (arôme enivrant, couleurs appétissantes, etc.), et non à de réels signaux de faim. S'il s'agit d'une vraie faim, vous pourriez manger tout ce qui vous tombe sous la main (exemple : un œuf à la coque) parce que votre corps est en état d'urgence. Si vous êtes plutôt attiré par des aliments qui vous procurent du plaisir, demandez-vous si vous en avez réellement besoin et attendez un peu de voir de quelle façon la faim, réelle ou non, évolue.

Viande rouge : PAS D'ABUS !

On entend de plus en plus qu'il est préférable de limiter sa consommation de viande rouge. Par exemple, la Société canadienne du cancer recommande une consommation n'excédant pas 300 g (2/3 de lb) par semaine. En effet, on estime que la consommation quotidienne de 100 g (3 ½ oz) de viande rouge augmenterait les risques de cancer colorectal de 29 %. D'autres études font également des liens avec les risques de cancer de l'œsophage, du pancréas, des poumons, de l'estomac, de l'endomètre et de la prostate. Pour limiter les risques, diminuez votre consommation de viande rouge, optez pour des coupes maigres et retirez le gras de la viande avant la cuisson.

Alcool : un peu, beaucoup… pas du tout ?

Côté alcool, on devrait **se limiter à 1 ou 2 verres par semaine**. La raison est simple : en plus de fournir des calories liquides facilement stockées par le corps, l'alcool n'influence pas à la hausse la satiété. Au contraire : il stimulerait même la faim ! En effet, un verre d'alcool nous ferait ingérer plus de calories que ce que l'on mangerait normalement pendant le repas suivant, et ce, sans compter les calories supplémentaires procurées par l'alcool lui-même !

Et qu'en pense Karine ? « Un verre de vin, c'est 120 calories. Ça se perd en 10 minutes d'entraînement intensif… Il faut garder en tête l'effort que ça nous prend pour éliminer ces calories ! De plus, le corps voit l'alcool comme un poison. Quand on en boit, notre corps se concentre à l'éliminer plutôt que de refaire la masse musculaire ou de continuer à dépenser de l'énergie. C'est comme mettre la perte de poids sur pause. L'alcool, c'est 7 calories par gramme, alors que le gras, c'est 9 calories par gramme. C'est presque aussi calorique que l'huile ! »

Plus le taux d'alcool d'un liquide est haut, plus il fournit des calories.

Les bases du plan alimentaire idéal

Voici les concepts sur lesquels nous nous sommes basés pour construire le plan alimentaire et les menus présentés dans les pages qui suivent.

Menu type d'une journée : environ 1500 CALORIES

« 1500 calories par jour, oui, mais il ne faut pas focaliser sur le nombre de calories consommées au quotidien pour gérer son poids sainement. Il faut manger à sa faim : pas plus, pas moins ! »
– Charlotte

Ce que l'on devrait consommer quotidiennement

- 2 fruits
  On devrait consommer plus de légumes que de fruits dans une journée. Pour chaque fruit mangé, on doit consommer deux portions de légumes.
- Légumes à volonté
- 3 ⅓ portions de protéines : chaque repas doit procurer de 15 à 20 g de protéines
  À titre indicatif, une portion de protéines équivaut à 75 g à 100 g (2 ¾ oz à 3 ½ oz) de viande.
- 3 à 4 produits laitiers
  Dans le cas du fromage, privilégiez ceux dont le pourcentage de matières grasses se situe entre 15 et 20 %.
- 2 à 3 féculents maximum
  Pour savoir pourquoi il est bénéfique de limiter sa consommation de féculents, rendez-vous à la page 169.

« Pour davantage de satiété, on priorise les grains entiers. »
– Charlotte

- 5 à 6 g de fibres par repas
- Autour de 140 mg de sodium par repas (maximum 360 mg, soit 15 % VQ)
  Retenez qu'un excès de sodium favorise la rétention d'eau !

On boit de l'eau !

En plus d'aider l'organisme à assurer plusieurs de ses fonctions (digestion, absorption, transport des nutriments, construction et réparation des tissus, élimination des déchets, etc.), l'eau permet d'atténuer les sensations de fringale. En effet, les symptômes de la déshydratation s'apparentent à ceux de la faim et peuvent donc nous entraîner à manger plus. Par ailleurs, boire beaucoup d'eau est primordial pour compenser les pertes en eau occasionnées par un programme d'entraînement.

On devrait boire 1 ml (⅕ de c. à thé) d'eau par calorie consommée. Par exemple, pour un plan alimentaire se situant autour de 1500 calories quotidiennes, il faudrait boire approximativement 1,5 litre (6 tasses) d'eau par jour.

Karine dit aussi qu'il est important de boire de l'eau pendant l'entraînement :

« Le corps va réussir à brûler plus rapidement les graisses quand il est bien hydraté. Il faut refaire nos réserves d'eau au fur et à mesure. »

Le rôle des fibres

Les fibres permettent de nous rassasier et d'éviter les fringales. En effet, les fibres gonflent dans l'estomac, favorisant l'atteinte d'un sentiment de satiété plus rapidement. De plus, elles ralentissent le processus d'absorption des glucides. Un bon apport contribue également à régulariser le transit intestinal. On trouve des fibres dans les fruits, les légumes, les produits céréaliers, les noix, les graines et les légumineuses.

L'IMPORTANCE DES PROTÉINES

Les protéines sont essentielles pour plusieurs raisons, notamment parce qu'elles assurent un sentiment de satiété. De plus, les protéines sont indispensables à la régénération des muscles, des os, des ongles, des cheveux et de la peau. Elles jouent également un rôle de premier plan dans le renforcement du système immunitaire et dans la production d'hormones.

LE TOFU : un allié santé !

Il y a bien des raisons d'intégrer cet ingrédient à base de soya au menu : en plus de favoriser la diversité dans l'assiette et de faire preuve de grande polyvalence, il est pauvre en gras saturés et riche en protéines végétales, ce qui en fait un excellent substitut à la viande. Les recettes à base de tofu présentées dans ce livre sont jazzées de façon à conférer à cet aliment neutre un max de goût et à vous le faire apprécier.

LES PROTÉINES que l'on devrait mettre au menu chaque semaine

- **Au moins 2 portions de poisson**
  Le poisson est une bonne source d'oméga-3, un acide gras bénéfique pour la santé du cœur et pour la prévention des maladies chroniques.
- **Au moins 2 portions de légumineuses**
- **Maximum 1 portion de viande rouge**
- **Au moins 1 portion de tofu**
- **De 1 à 2 portions de poulet ou de porc**
  En plus d'être des protéines maigres, le poulet et le porc sont riches en vitamines et en minéraux !
- **1 portion d'œuf**
  Un œuf fournit environ 6 g de protéines et seulement 75 calories, ce qui en fait un aliment protéiné de choix !

LES LÉGUMINEUSES : une mine de nutriments !

Les haricots, les pois chiches, les lentilles et les autres légumineuses sont bénéfiques pour la perte de poids. Grâce à leur combinaison fibres-protéines, elles favorisent la satiété, permettent de maintenir suffisamment d'énergie pour tenir jusqu'au repas suivant et assurent la régulation du transit intestinal. En prime, les légumineuses sont bourrées de vitamines et de minéraux, et elles aident à diminuer le taux de mauvais cholestérol ainsi qu'à prévenir les maladies cardiovasculaires.

Go, on commence à bouger !

« *Ça y est, le temps est venu de se mettre en action ! On met tout en notre pouvoir pour se dépasser et rester motivé !* »
— Caty

Prendre le temps de s'installer

Pour que les séances d'exercices soient sécuritaires, efficaces et surtout, agréables, il faut prendre le temps de s'installer. Il est important de se trouver un coin tranquille de la maison où l'on pourra faire nos exercices sans avoir à répondre aux cris des enfants et sans risquer de trébucher sur un jouet ou des souliers.

MES ESSENTIELS

Poids

Tapis d'exercice

Espadrilles

Bouteille d'eau

Téléphone avec mes *playlists*

MA MEILLEURE ALLIÉE : ma montre Fitbit

Avant de commencer mon programme, Charlotte et Karine m'ont conseillée de me procurer une montre Fitbit pour calculer le nombre de pas que je fais tous les jours. Pour une personne au tempérament compétitif comme le mien, c'est vraiment parfait ! Chaque jour, j'essaie de dépasser mon score de la journée précédente. Je n'ai jamais été aussi serviable pour aller chercher des choses pour mes enfants, mon *chum* et mes collègues !

Mes playlists

Je l'avoue, ça me prend une bonne dose de motivation pour m'entraîner toute seule dans mon sous-sol ! Et avec ces *playlists*, rien ne peut m'arrêter !

Entraînantes au max

1. OMI – *Cheerleader (Felix Jaehn Remix)*
2. Shakira avec Pitbull – Rabiosa
3. Meghan Trainor – *Me Too*
4. Survivor – *Eye Of The Tiger*
5. Europe – *The Final Countdown*
6. David Guetta avec Sia – *Titanium*
7. Clean Bandit avec Jess Glynne – *Rather Be*
8. Walk the Moon – *Shut Up And Dance*
9. Mark Ronson avec Bruno Mars – *Uptown Funk*
10. The Offspring – *You're Gonna Go Far, Kid*
11. Usher avec Pitbull – *DJ Got Us Fallin' In Love*
12. Pitbull – *I Know You Want Me (Calle Ocho)*

En mode discothèque

1. Rihanna – *Don't Stop The Music*
2. Madonna – *Hung Up*
3. Selena Gomez & The Scene – *Love You Like A Love Song*
4. Amii Stewart – *Knock On Wood*
5. CeCe Peniston – *Finally*
6. Jessie J – *Domino*
7. Jennifer Lopez – *Let's Get Loud*
8. Snap ! – *Rhythm Is A Dancer*
9. Weather Girls – *It's Raining Men*
10. Ke$ha – *TiK ToK*
11. No Mercy – *Where Do You Go*
12. Taio Cruz – *Dynamite*

Quand je « feel » rockeuse

1. Corey Hart – *Sunglasses At Night*
2. Kiss – *Rock & Roll All Nite*
3. Steppenwolf – *Born To Be Wild*
4. U2 – *Sunday Bloody Sunday*
5. Pat Benatar – *Heartbreaker*
6. Three Days Grace – *Animal I Have Become*
7. 3 Doors Down – *Kryptonite*
8. Bon Jovi – *Keep The Faith*
9. Melissa Etheridge – *Like the Way I Do*
10. Mötley Crüe – *Smokin' In the Boys Room*
11. Poison – *Unskinny Bop*
12. Ram Jam – *Black Betty*

Mes « bests » du moment

1. The Weeknd – *Can't Feel My Face*
2. Muse – *Uprising*
3. Sia avec Sean Paul– *Cheap Thrills*
4. Coleman Hell – *2 Heads*
5. Meghan Trainor – *NO*
6. Justin Timberlake – *Can't Stop the Feeling*
7. Robin Thicke avec T.I. et Pharrell – *Blurred Lines*
8. Lilly Woods avec The Prick et Robin Schulz – *Prayer in C (Robin Schulz remix)*
9. Jason Derulo – *Want To Want Me*
10. Mr. Probz – *Waves (Robin Schulz Remix Radio Edit)*
11. Kungs vs Cookin' on 3 Burners – *This Girl*
12. Calvin Harris avec Rihanna– *This Is What You Came For*

Conseils d'experte

POUR RESTER MOTIVÉ

Quand on est motivé, rien ne peut nous arrêter ! Voici quelques astuces pour nous donner le goût de s'entraîner jour après jour !

- S'équiper de poids confortables
- Se créer une *playlist* musicale entraînante
- S'offrir de jolis vêtements d'entraînement
- Avoir de bonnes chaussures de sport (ou de chaussures de course si l'on fait du jogging)
- Définir un endroit précis dans la maison pour s'entraîner

Les pièges à éviter

Quand on est déterminé à perdre quelques livres, la motivation peut nous pousser à faire les choses à l'extrême, ce qui n'est pas conseillé.

PREMIER PIÈGE À ÉVITER :
vouloir en faire trop et trop rapidement côté entraînement.

« ***Il faut savoir respecter notre corps pour ne pas frapper un mur après deux ou trois semaines. Il faut aussi respecter les temps de repos. L'alternance entre les séances structurées à intensité plus élevée et les séances cardio modérées est faite pour permettre à notre corps de récupérer.*** »

— Karine

SECOND PIÈGE À ÉVITER :
ne pas consommer suffisamment de calories pour nos besoins.

« *On a l'impression qu'en sautant des collations ou des repas, on va maigrir plus vite. Mauvaise idée ! Pour réussir à bâtir de la nouvelle masse musculaire, notre corps a besoin d'énergie, de carburant. S'il n'en a pas, il n'y arrivera pas !* »

— Karine

ASTUCES POUR MIEUX VISUALISER NOS PROGRÈS

Avant de commencer le programme, on prend une photo de soi en bikini, puis dans un carnet, on note la qualité de notre sommeil ainsi que notre niveau d'énergie en général. Cela nous aidera à mieux mesurer les impacts positifs de nos nouvelles habitudes de vie tant sur le plan physique que psychologique.

« Quand on mange bien et qu'on s'entraîne, ça n'influence pas seulement notre physique ! Ça a aussi un impact sur notre humeur, notre niveau d'énergie, notre concentration, notre sommeil, etc. C'est important d'avoir d'autres indices de mesure que le chiffre sur la balance ! »

— Karine

Le meilleur moment pour s'entraîner ?

« En s'entraînant le matin, on peut avoir plus de facilité à partir la journée. Et en plus, c'est fait ! Toutefois, la meilleure chose est de prévoir notre entraînement au moment qui nous convient le mieux. On peut aussi varier le moment dans la semaine. »

- Karine

Notre programme d'entraînement

Trois jours de circuits d'exercices, deux jours d'activités cardio et deux jours de repos actif : voilà comment se décline notre programme qui s'étale sur quatre semaines !

CIRCUIT D'ENTRAÎNEMENT

Il s'agit de séries d'exercices qui impliquent plusieurs groupes musculaires et qui augmentent les battements cardiaques de manière à nous faire brûler un max de calories !

Les entraînements structurés des circuits sont relativement courts, mais assez exigeants afin d'être efficaces. Il sera donc normal au début du programme de ressentir une certaine fatigue physique après les séances. Toutefois, avec le temps, votre corps s'adaptera et vous vous sentirez moins fatigué.

— Karine

« En faisant les activités cardio, on doit ressentir un essoufflement, mais il ne faut pas que ce soit désagréable. Il faut sentir que l'on a bien travaillé, sans toutefois être épuisé par la suite. »

— Karine

ACTIVITÉS CARDIO

Vélo, elliptique, zumba, marche rapide, ski, raquette, cours de groupe, DVD, jogging léger... on choisit une activité qui nous plaît selon la saison ! L'objectif : stimuler notre cardio en fournissant un effort modéré.

REPOS ACTIF

Ces jours-là, on en profite pour récupérer... tout en restant actif ! Au travail comme à la maison, on multiplie les pas. On se stationne plus loin pour marcher davantage, on préfère les escaliers à l'ascenseur ou on se déplace pour aller parler à nos collègues plutôt que de leur téléphoner.

« Il est important de bien récupérer pour qu'au prochain circuit, on puisse déployer l'effort et l'énergie nécessaires pour aller chercher une bonne dépense calorique pendant l'entraînement... et après ! »

— Karine

POUR RÉALISER ADÉQUATEMENT LES EXERCICES

Pas toujours évident de se fier à des photos pour reproduire des exercices! Pour faciliter l'exécution des mouvements avant de faire le programme une première fois, on peut regarder tous les exercices de la semaine et les faire tranquillement pour mieux les comprendre. On peut prendre des notes sur les exercices que l'on a trouvé plus difficiles à exécuter. Ainsi, il sera plus facile de bien les faire quand la séance viendra. De plus, l'idéal est de faire les exercices devant un miroir: cela permet de voir si on exécute les mouvements de la bonne manière et si notre position est correcte ou non.

« On doit savoir qu'il n'est jamais normal de ressentir une douleur en exécutant un mouvement. On doit sentir nos muscles travailler, mais sans douleur. Si on a mal, on s'arrête. C'est peut-être parce que le mouvement n'est pas bien exécuté. »

— Karine

Comment intégrer l'entraînement à notre horaire ?

Première chose à faire : mettre les séances d'entraînement à notre agenda de la même manière que l'on note une réunion professionnelle ou un rendez-vous médical. **On prend rendez-vous avec soi-même !** Ainsi, pas de raison d'annuler parce que l'on manque de temps ! Puisque notre horaire est appelé à changer selon les semaines, on peut le réviser chaque dimanche soir, par exemple. Pour mettre les chances de notre côté, on choisit le moment de la journée qui convient le mieux selon notre réalité. On ne voudrait surtout pas abandonner parce que ça nous complique la vie !

« L'exercice physique, ça prend de l'effort et de la discipline, mais après, on est toujours fier et on se sent si bien ! C'est là-dessus qu'il faut miser ! C'est comme le slogan de Nike : "Just do it !". On le fait, et c'est tout ! »

— Karine

Tranquillement, mais sûrement !

Quand on commence un entraînement, il est important de savoir adapter l'effort à notre condition physique pour éviter de se blesser ou encore de se décourager. Par exemple, on peut commencer à faire les exercices sans poids pendant la première séance, puis les intégrer tranquillement quand on se sent plus à l'aise. Il faut que les exercices nous demandent un effort, mais on ne doit pas se sentir complètement exténuée après une séance d'entraînement.

« Après quelques entraînements, quand on ressent moins de courbatures, c'est signe que le corps a réussi à s'adapter à la routine. Dans la semaine suivante, on va changer de programme, on va augmenter l'intensité, mais il faut laisser la chance au corps de s'adapter. C'est ce qui entraîne des résultats ! »

— Karine

On s'échauffe !

Avant de faire chaque circuit d'entraînement, il est important de bien préparer votre corps en l'échauffant. Voici une banque d'exercices variés pour le faire tout en douceur !

Fonctionnement : faire les cinq exercices avant chaque séance. Effectuer chacun d'eux pendant 30 secondes, puis recommencer la série une deuxième fois. Au total, la période d'échauffement devrait durer 5 minutes. Pour varier, vous pouvez remplacer l'un des cinq exercices d'échauffement par l'un des exercices optionnels.

1 Grandes fentes latérales alternées

POSITION DE DÉPART : debout, les pieds joints, les bras le long du corps.

- Effectuer un grand pas latéral vers la droite en fléchissant le genou droit.
- Toucher le bout du pied droit avec la main gauche en gardant l'autre jambe étirée. Le genou ne doit jamais dépasser les orteils lors de la flexion. Garder le poids sur les talons.
- Revenir en position initiale et répéter les mouvements de l'autre côté. Continuer la séquence en alternance.

2 Simulation de saut à la corde

POSITION DE DÉPART : debout, pieds joints.

- Sauter à la corde ou simuler un saut à la corde.

3 Genoux levés alternés (sans saut)

POSITION DE DÉPART : debout, le dos droit, les jambes à la largeur des épaules, les bras le long du corps.

- Lever un genou à 90 degrés et, simultanément, monter le coude opposé à la hauteur des épaules. Alterner les mouvements des jambes et des bras de façon dynamique.

4 Talons aux fesses

POSITION DE DÉPART : debout, jambes légèrement écartées, bras tendus devant soi à la hauteur des épaules.

- Aller porter un talon sur la fesse du même côté tout en tirant les coudes vers l'arrière.
- Revenir en position initiale et faire de même avec l'autre jambe. Répéter la séquence de manière dynamique en alternance.

5 Grandes fentes arrière alternées

POSITION DE DÉPART : debout, les pieds à la largeur des hanches, les bras le long du corps.

- Faire un grand pas derrière avec une jambe tout en tendant les bras devant soi.
- Descendre en fléchissant le genou avant à 90 degrés : le genou arrière doit presque toucher le sol et celui de la jambe avant doit être aligné avec la cheville.
- Garder le haut du corps bien droit, épaules en arrière. Revenir à la position initiale en contractant les fessiers. Répéter la séquence en alternance.

EXERCICES OPTIONNELS

Déplacements latéraux avec coups de poing

POSITION DE DÉPART : debout, le dos droit, les pieds joints, les bras devant soi, coudes fléchis, poings fermés à la hauteur du menton.

- Faire trois petits pas rapides vers la gauche. Donner un coup de poing avec le bras droit vers la gauche tout en effectuant une torsion du bassin vers ce même côté. Le talon droit est soulevé et le coude gauche est ramené vers le sol. Répéter les mouvements de l'autre côté, puis répéter la séquence en alternance.

Jumping Jack

POSITION DE DÉPART : debout, le dos droit, les pieds joints, les bras le long du corps.

- Sauter en écartant les jambes latéralement et en montant les bras de chaque côté du corps jusqu'à ce que les mains se touchent au-dessus de la tête.
- Ramener immédiatement les bras et les jambes pour revenir en position initiale. Répéter la séquence en maintenant un bon rythme.

Demi-squats

POSITION DE DÉPART : debout, le dos droit, les jambes à la largeur des épaules et les bras tendus devant soi, mains appuyées l'une sur l'autre.

- Fléchir les jambes en poussant le fessier vers l'arrière jusqu'à ce que les genoux forment un angle d'environ 120 degrés.
- Revenir en position initiale et contracter les muscles fessiers une fois debout. Répéter la séquence de façon dynamique.

Entraînement semaine 1

CIRCUIT (25 MINUTES)

Effectuer le circuit en enchaînant les exercices les uns après les autres. Prendre 1 minute de repos (bien s'hydrater!) et répéter le circuit.

Pour les exercices avec poids, utiliser des poids de 3 à 5 lb minimum.

Jours	Programme d'entraînement
Lundi	Jour de circuit
Mardi	Exercice cardiovasculaire au choix d'intensité faible à modérée - 30 minutes*
Mercredi	Jour de circuit
Jeudi	Repos actif (cumuler au moins 10 000 pas)
Vendredi	Jour de circuit
Samedi	Exercice cardiovasculaire au choix d'intensité faible à modérée - 30 minutes*
Dimanche	Repos actif (cumuler au moins 10 000 pas)

* Exemples: vélo, marche rapide, jogging léger, cours de groupe, DVD...

1 *Squat* double et *military press*

15 répétitions

MUSCLES CIBLÉS: jambes et épaules

POSITION DE DÉPART: debout, le dos droit, les jambes à la largeur des épaules, les bras levés, coudes fléchis à la hauteur du menton, un poids dans chaque main.

- Fléchir les jambes en poussant les fesses vers l'arrière et s'arrêter lorsque les genoux forment un angle de 90 degrés.
- Revenir en position initiale en contractant les fesses. Refaire un *squat*, puis monter les bras dans les airs en revenant en position initiale. Poursuivre la séquence.

2

Pont et *fly*

15 répétitions

MUSCLES CIBLÉS : fessiers et pectoraux

POSITION DE DÉPART : au sol, sur le dos, genoux fléchis, pieds au sol, bras en croix, un poids dans chaque main.

- Soulever le bassin tout en déplaçant les poids dans les airs vis-à-vis de la poitrine. Les bras restent tendus et sont alignés avec les épaules. Ramener les bras en croix et poursuivre la séquence.

3

Deux *jumping Jack* avec grand plié

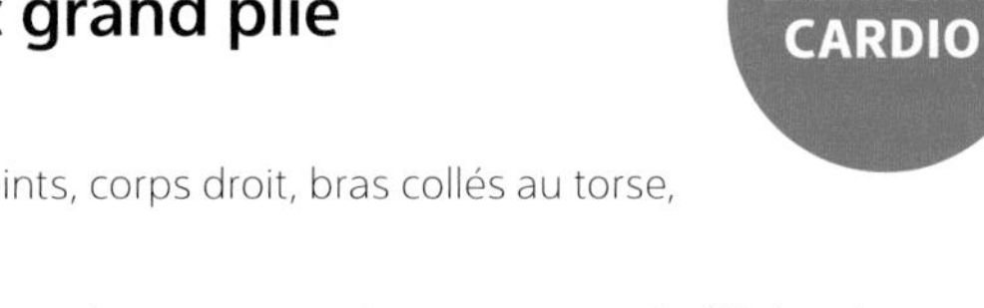

15 répétitions

POSITION DE DÉPART : debout, pieds joints, corps droit, bras collés au torse, coudes pliés à 90 degrés.

- Sauter en écartant les pieds latéralement. Simultanément, lever les bras latéralement jusqu'à la hauteur des épaules, puis faire un saut pour revenir en position initiale.
- Sauter à nouveau en écartant les pieds latéralement et en levant les bras jusqu'à la hauteur des épaules, puis adopter la position du grand plié en fléchissant les genoux à un angle de 90 degrés et en ramenant les bras devant soi, coudes toujours pliés. Revenir en position initiale et poursuivre la séquence.

Push-up sur les genoux avec rotation en planche latérale et extension du bras alternée

16 répétitions

MUSCLES CIBLÉS : pectoraux, bras et abdominaux

POSITION DE DÉPART : au sol, sur les genoux, jambes relevées à 90 degrés, dos droit, bras tendus en appui sur les poids tenus en mains.

- Baisser le haut du corps par flexion des bras. Les jambes ne bougent pas et le nez frôle presque le sol. Revenir en position initiale.
- Effectuer une rotation du corps vers la droite pour adopter une position de planche latérale. Simultanément, lever le bras droit dans les airs jusqu'à ce qu'il soit aligné avec le bras au sol. Les jambes se retrouvent fléchies vers l'arrière et l'appui se fait sur la jambe gauche et la main du même côté. Revenir en position initiale. Continuer la série en alternance.

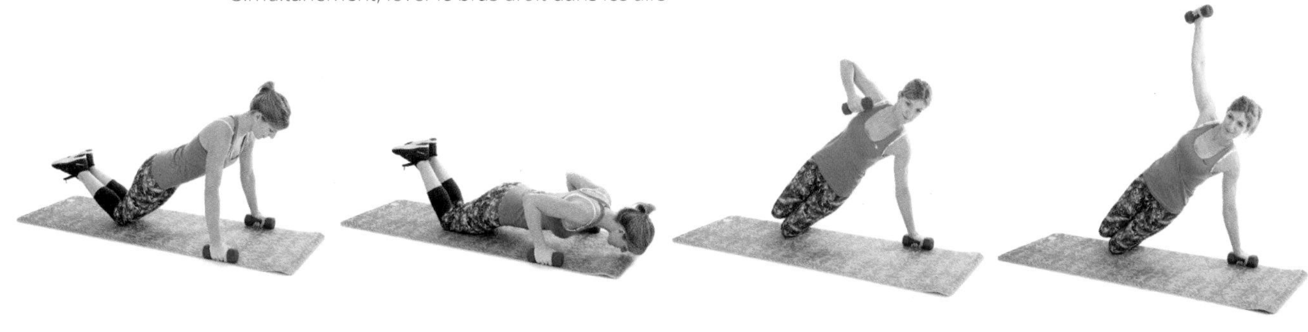

Crunch jambes pliées avec extension des bras

15 répétitions

MUSCLES CIBLÉS : abdominaux et triceps

POSITION DE DÉPART : au sol, sur le dos, genoux relevés à 90 degrés, chevilles croisées, coudes pliés de chaque côté de la tête, un poids dans chaque main.

- Déplier les bras à la verticale. À l'aide des abdominaux, soulever graduellement le haut de la colonne jusqu'à ce que les omoplates ne touchent plus le sol. Les jambes ne bougent pas et la tête suit le mouvement. Revenir à la position initiale et recommencer.

6

Jogging sur place talons aux fesses avec mouvements de bras

EXERCICE CARDIO

15 répétitions

POSITION DE DÉPART : debout, pieds écartés à la largeur des épaules, les coudes fléchis, un poids entre les mains (une extrémité dans chaque main) sous le menton.

- Jogger sur place en allant porter les talons sur les fesses. Simultanément, allonger les bras vers l'avant, les ramener à la poitrine, puis les monter dans les airs au-dessus de la tête. Continuer de jogger sur place tout en enchaînant les mouvements avec les bras.

7

Fente arrière genou levé avec flexion des coudes

15 répétitions de chaque côté

MUSCLES CIBLÉS : jambes et biceps

POSITION DE DÉPART : debout, les pieds à la largeur des hanches, les bras le long du corps, un poids dans chaque main.

- Faire un grand pas derrière avec une jambe, puis descendre en fléchissant le genou avant à 90 degrés. Le genou de la jambe avant doit être aligné avec la cheville.
- Déplacer la jambe de derrière vers l'avant en levant le genou jusqu'à un angle de 90 degrés. Simultanément, fléchir les coudes en portant les poids vers les épaules. Ramener la jambe derrière et les bras le long du corps. Terminer la série, puis faire de même de l'autre côté.

Planche latérale sur avant-bras et genou, avec soulèvement de la jambe

15 répétitions de chaque côté

MUSCLES CIBLÉS: abdominaux

POSITION DE DÉPART: couché sur le côté en appui sur l'avant-bras, le coude directement sous l'épaule, la jambe au sol pliée vers l'arrière à 90 degrés, l'autre jambe droite et la main du même côté appuyée sur la hanche.

- Soulever le bassin en s'appuyant sur l'avant-bras qui est au sol et en contractant les abdominaux. Le tronc et la tête sont alignés avec les jambes.
- Lever la jambe du dessus jusqu'à la hauteur des épaules et la redescendre au sol. Déposer la hanche au sol. Terminer la série, puis faire de même de l'autre côté.

Jumping Jack avec punch devant

EXERCICE CARDIO

16 répétitions

POSITION DE DÉPART: debout, le dos droit, les pieds joints, les coudes fléchis, mains sous le menton.

- Sauter en écartant les jambes latéralement et en montant les bras de manière dynamique jusqu'à ce qu'ils forment un X avec les jambes.
- Sauter immédiatement pour atterrir de côté pieds joints, bras en position initiale. Avancer la jambe de devant en sautant, tout en donnant un coup de poing avec le bras avant. Poursuivre la séquence en alternance.

10

Bascule du bassin jambes fléchies avec extension des jambes

15 répétitions

MUSCLES CIBLÉS : abdominaux

POSITION DE DÉPART : sur le dos, genoux pliés à 90 degrés, bras tendus dans les airs, un poids entre les mains (une extrémité dans chaque paume).

- Avec un mouvement de bascule du bassin, tirer les genoux vers la poitrine, puis allonger complètement les jambes à la diagonale. Les bras restent en place.
- Revenir en position initiale et poursuivre la série.

11

Superman

16 répétitions

MUSCLES CIBLÉS : lombaires et dos

POSITION DE DÉPART : au sol, sur le ventre, jambes et bras écartés, front appuyé au sol.

- Contracter les fessiers, puis simultanément, soulever la tête, la jambe gauche et le bras droit.
- Revenir en position initiale. Poursuivre la séquence en alternance. Tout au long de l'exercice, la tête doit rester dans le prolongement de la colonne, les yeux rivés vers le sol.

On s'étire !

Une fois la séance d'entraînement complé-tée, on relaxe notre corps ! Voici quelques exercices d'étirement pour vous permettre de bien détendre les muscles qui ont été sollicités pendant l'entraînement.

Fonctionnement : effectuer tous les exercices qui suivent les uns à la suite des autres. Maintenir chaque position pendant 30 secondes ou pendant cinq ou six respirations. Respirer profondément.

Cobra

POSITION DE DÉPART : au sol, sur le ventre, les mains près des épaules, les paumes et les avant-bras contre le sol. Les jambes sont allongées et les pieds sont étendus.

- En s'appuyant sur les mains, allonger les bras et soulever la tête et le haut du tronc. Fixer un point droit devant, de manière à ce que le cou soit aligné avec le dos. Le bassin doit rester en contact avec le sol.

Chien tête baissée

POSITION DE DÉPART : au sol, à quatre pattes, les genoux alignés avec les hanches, les mains appuyées au sol à la largeur des épaules.

- En prenant appui sur les mains et sur les orteils, allonger les jambes en tirant le bassin vers le ciel et en poussant les talons vers le sol. Les yeux sont rivés vers le nombril. Les bras sont allongés et le corps forme un V inversé. Selon le degré de souplesse, les talons seront plus ou moins près du sol.

Étirement des ischio-jambiers

POSITION DE DÉPART : au sol, sur le dos, bras le long du corps, jambes pliées à 90 degrés, pieds au sol.

- Tendre une jambe vers le haut et tenir le mollet ou la cuisse avec les deux mains, selon la flexibilité. Garder la position 15 secondes pour étirer l'ischio-jambier, puis revenir en position initiale. Faire de même avec l'autre jambe.

Étirement des mollets

POSITION DE DÉPART : au sol, à quatre pattes, les genoux alignés avec les hanches, les mains appuyées au sol à la largeur des épaules.

- Tendre une jambe vers l'arrière en appuyant les orteils au sol. Tirer le talon vers le sol pour sentir l'étirement dans le mollet. Revenir en position initiale, puis faire de même avec l'autre jambe.

Étirement des fléchisseurs de la hanche

POSITION DE DÉPART : debout, les pieds à la largeur des hanches.

- Faire un grand pas en avant avec une jambe. Descendre en fléchissant le genou avant à 90 degrés : celui de la jambe arrière doit toucher le sol et celui de la jambe avant doit être en ligne droite avec la cheville. Basculer la hanche vers l'avant afin de ressentir l'étirement devant la hanche, en gardant le haut du corps droit, épaules en arrière. Revenir en position initiale, puis faire de même avec l'autre jambe.

Étirement des fessiers

POSITION DE DÉPART : au sol, assise, les jambes étendues devant soi, le dos droit et les mains en appui au sol derrière soi.

- Plier la jambe gauche par-dessus la cuisse droite.
- Retenir le genou gauche avec le coude du bras droit en effectuant une torsion du tronc vers la gauche. Le dos reste droit et la tête suit le mouvement. Tenir la position 15 secondes et répéter le mouvement de l'autre côté.

Coquille

POSITION DE DÉPART : au sol, à genoux, les fesses appuyées sur les talons, les bras le long du corps.

- Pencher le corps vers l'avant sur les cuisses jusqu'à ce que le front touche le sol. Les jambes peuvent être plus écartées pour plus de confort. Allonger les bras vers l'arrière, de chaque côté du corps.

BON À SAVOIR QUAND ON S'ÉTIRE

- On devrait ressentir un étirement des muscles, mais jamais de douleur pendant l'adoption des positions. On ne devrait pas donner de coups non plus.
- Les étirements permettent un retour au calme après un entraînement et contribuent à maintenir une bonne amplitude de mouvement, ce qui nous permet d'effectuer nos mouvements avec plus d'aisance au quotidien.
- Les exercices d'étirement peuvent aussi être effectués avant le coucher pour se détendre avant la nuit.

On devrait effectuer des exercices de souplesse au moins trois fois par semaine.

Menu semaine 1

LUNDI

1412 CALORIES

DÉJEUNER
Coupe-déjeuner au yogourt grec, fruits et noix

COLLATION DU MATIN
1 fromage effilochable et 1 pomme

DÎNER
Salade de légumineuses aux pois chiches croustillants + 175 ml (environ ¾ de tasse) de yogourt à la vanille 2,9 %

COLLATION DE L'APRÈS-MIDI
1 muffin au son et aux canneberges séchées

SOUPER
Sauté de poulet aux noix de cajou

MARDI

1302 CALORIES

DÉJEUNER
Smoothie fraises-banane

COLLATION DU MATIN
45 ml (3 c. à soupe) de houmous aux poivrons rôtis et crudités

DÎNER
Salade de couscous de blé entier et crevettes nordiques + 250 ml (1 tasse) de cantaloup coupé en cubes

COLLATION DE L'APRÈS-MIDI
23 amandes entières

SOUPER
Tofu parmigiana avec salade de roquette aux tomates séchées et parmesan

MERCREDI

1471 CALORIES

DÉJEUNER
Parfait protéiné aux fraises et à l'orange

COLLATION DU MATIN
250 ml (1 tasse) de boisson de soya à la vanille

DÎNER
Quiche aux légumes + 175 ml (environ ¾ de tasse) de yogourt à la vanille 2,9 %

COLLATION DE L'APRÈS-MIDI
125 ml (½ tasse) de pois chiches épicés rôtis

SOUPER
Saumon teriyaki sur julienne de légumes

JEUDI

1414 CALORIES

DÉJEUNER
Gruau sans cuisson à la pomme

COLLATION DU MATIN
125 ml (½ tasse) de compote de pommes non sucrée

DÎNER
Pâté au poulet en pâte phyllo avec légumes au choix et 250 ml (1 tasse) de jus de légumes

COLLATION DE L'APRÈS-MIDI
1 fromage effilochable

SOUPER
Ragoût de boulettes aux légumes avec mâche et laitue frisée aux artichauts

VENDREDI
1503 CALORIES

DÉJEUNER
2 galettes de sarrasin avec banane, yogourt et beurre d'amande

COLLATION DU MATIN
15 ml (1 c. à soupe) d'abricots séchés et 30 ml (2 c. à soupe) de noix

DÎNER
Soupe fromage et brocoli

COLLATION DE L'APRÈS-MIDI
30 ml (2 c. à soupe) de houmous aux poivrons rôtis avec crudités

SOUPER
Pizza au jambon, brie et poireaux avec salade de bébés épinards aux suprêmes d'oranges

SAMEDI
1398 CALORIES

DÉJEUNER
2 crêpes protéinées

COLLATION DU MATIN
1 fromage effilochable et 1 poire

DÎNER
Ciabatta au saumon fumé, chèvre, citron et érable avec légumes au choix

COLLATION DE L'APRÈS-MIDI
1 petit contenant de yogourt grec à la vanille 0 % de 100 g

SOUPER
Côtelettes de veau, sauce poireaux et moutarde avec pois mange-tout et oignon rouge

GÂTERIE DE SOIRÉE
Maïs soufflé noix de coco et lime

DIMANCHE
1545 CALORIES

DÉJEUNER
Smoothie à l'ananas et pomme verte

COLLATION DU MATIN
1 carré au millet soufflé, abricots et amandes

DÎNER-BRUNCH
Omelette jambon-asperges avec salade de roquette, agrumes et fenouil

COLLATION DE L'APRÈS-MIDI
½ avocat avec 15 ml (1 c. à soupe) de jus de citron

SOUPER
Chili végétarien à la mijoteuse

DESSERT
1 délice croquant au chocolat noir et amandes

LUNDI DÉJEUNER

Coupe-déjeuner au yogourt grec, fruits et noix

PRÉPARATION **5 MINUTES** / QUANTITÉ **4 PORTIONS**

PAR PORTION		
TENEUR		**VQ***
Calories	320	-
Protéines	24 g	-
M.G.	10 g	-
Glucides	37 g	-
Fibres	6 g	25 %
Fer	1 mg	9 %
Calcium	358 mg	33 %
Sodium	14 mg	1 %

* VQ = valeur quotidienne

- 750 ml (3 tasses) de yogourt grec nature 0 %
- 30 ml (2 c. à soupe) de lait 2 %
- 60 ml (¼ de tasse) de miel
- 80 ml (⅓ de tasse) de flocons d'avoine
- 60 ml (¼ de tasse) de noix de Grenoble hachées
- 60 ml (¼ de tasse) de graines de lin moulues
- 180 ml (¾ de tasse) de petits fruits frais mélangés au choix (fraises, framboises, bleuets...) coupés en dés

1. Dans un bol, mélanger le yogourt avec le lait et le miel.

2. Dans un autre bol, mélanger les flocons d'avoine avec les noix de Grenoble et les graines de lin.

3. Dans des coupes ou de grands verres, superposer des couches successives de yogourt au miel, de mélange aux noix et de fruits.

COLLATION DU MATIN

1 fromage effilochable (de type Ficello) et 1 pomme

QUANTITÉ : 1 portion

142 calories et 5 g de protéines

Choisissez un fromage à votre goût ! Une portion représente 30 g (1 oz) : par exemple, 30 g de cheddar fournissent 121 calories et 30 g de mozzarella en fournissent 96 (un fromage effilochable de 21 g en fournit 70).

PAR PORTION		
TENEUR		VQ*
Calories	361	-
Protéines	18 g	-
M.G.	11 g	-
Glucides	50 g	-
Fibres	11 g	46 %
Fer	154 mg	14 %
Calcium	988 mg	28 %
Sodium	30 mg	1 %

* VQ = valeur quotidienne

LUNDI **DÎNER**

Salade de légumineuses aux pois chiches croustillants

PRÉPARATION **25 MINUTES** / CUISSON **15 MINUTES** / QUANTITÉ **DE 4 À 6 PORTIONS**

- 1 boîte de pois chiches de 540 ml, rincés et égouttés
- 15 ml (1 c. à soupe) d'huile d'olive
- 5 ml (1 c. à thé) de paprika fumé
- 2,5 ml (½ c. à thé) de piment d'Espelette
- 375 ml (1 ½ tasse) d'edamames
- 1 boîte de haricots blancs de 540 ml, rincés et égouttés
- 3 demi-poivrons de couleurs variées coupés en petits cubes
- ½ oignon rouge coupé en dés
- 250 ml (1 tasse) de chou-fleur haché
- 1 contenant de pousses au choix de 100 g

POUR LA VINAIGRETTE :

- 60 ml (¼ de tasse) de jus d'orange
- 60 ml (¼ de tasse) de persil haché
- 60 ml (¼ de tasse) de menthe hachée
- 30 ml (2 c. à soupe) d'huile d'olive
- 30 ml (2 c. à soupe) de jus de citron
- 30 ml (2 c. à soupe) de sirop d'érable
- Poivre au goût

1. Préchauffer le four à 180 °C (350 °F).

2. Dans un bol, mélanger les pois chiches avec l'huile et les épices. Déposer sur une plaque de cuisson tapissée de papier parchemin. Cuire au four de 15 à 18 minutes, en remuant de temps en temps.

3. Dans une casserole d'eau bouillante salée, cuire les edamames 5 minutes. Rincer sous l'eau très froide et égoutter.

4. Dans un saladier, mélanger les ingrédients de la vinaigrette.

5. Ajouter les haricots blancs, les edamames, les poivrons, l'oignon rouge et le chou-fleur dans le saladier. Remuer.

6. Répartir la salade dans les assiettes. Garnir chaque portion de pois chiches croustillants et de pousses.

PETIT DESSERT

175 ml (environ ¾ de tasse) de yogourt à la vanille 2,9 %

QUANTITÉ : 1 portion

155 calories et 8 g de protéines

PAR PORTION		
TENEUR		VQ*
Calories	163	-
Protéines	5 g	-
M.G.	6 g	-
Glucides	26 g	-
Fibres	5 g	19 %
Fer	2 mg	13 %
Calcium	65 mg	6 %
Sodium	207 mg	9 %

*VQ = valeur quotidienne

LUNDI COLLATION DE L'APRÈS-MIDI

Muffins au son et aux canneberges séchées

PRÉPARATION **20 MINUTES** / CUISSON **18 MINUTES** / QUANTITÉ **12 MUFFINS**

- 180 ml (3/4 de tasse) de farine de blé entier
- 125 ml (1/2 tasse) de farine tout usage non blanchie
- 180 ml (3/4 de tasse) de céréales de son de blé (de type All-Bran Buds)
- 250 ml (1 tasse) de son de blé
- 125 ml (1/2 tasse) de cassonade
- 80 ml (1/3 de tasse) de canneberges séchées
- 7,5 ml (1/2 c. à soupe) de bicarbonate de soude
- 2,5 ml (1/2 c. à thé) de cannelle
- 250 ml (1 tasse) de yogourt nature 0 %
- 60 ml (1/4 de tasse) d'huile de canola
- 80 ml (1/3 de tasse) d'eau
- 1 œuf

1. Préchauffer le four à 180 °C (350 °F).

2. Déposer des moules en papier dans les douze alvéoles d'un moule à muffins ou huiler les alvéoles.

3. Dans un bol, mélanger les farines avec les céréales, le son, la cassonade, les canneberges, le bicarbonate de soude et la cannelle.

4. Dans un autre bol, mélanger le yogourt avec l'huile, l'eau et l'œuf.

5. Incorporer la préparation liquide aux ingrédients secs en remuant à l'aide d'une cuillère en bois. Mélanger jusqu'à l'obtention d'une consistance homogène, sans trop remuer.

6. Répartir la pâte dans les alvéoles du moule à muffins. Cuire au four 18 minutes, jusqu'à ce qu'un cure-dent inséré au centre d'un muffin en ressorte propre.

7. Retirer du four. Démouler et laisser tiédir sur une grille. Ces muffins se conservent de 3 à 4 jours dans un contenant hermétique à température ambiante.

PAR PORTION		
TENEUR		VQ*
Calories	271	-
Protéines	17 g	-
M.G.	10 g	-
Glucides	28 g	-
Fibres	2 g	9 %
Fer	2 mg	15 %
Calcium	42 mg	4 %
Sodium	416 mg	17 %

* VQ = valeur quotidienne

LUNDI SOUPER

Sauté de poulet aux noix de cajou

PRÉPARATION **30 MINUTES** / CUISSON **7 MINUTES** / QUANTITÉ **4 PORTIONS**

- 100 g (3 ½ oz) de vermicelles de riz

POUR LA SAUCE :

- 125 ml (½ tasse) de bouillon de poulet sans sel ajouté
- 15 ml (1 c. à soupe) de sauce soya
- 15 ml (1 c. à soupe) de sauce hoisin
- 15 ml (1 c. à soupe) de miel
- 5 ml (1 c. à thé) de fécule de maïs

POUR LE SAUTÉ :

- 450 g (1 lb) de hauts de cuisses de poulet désossés sans peau
- 15 ml (1 c. à soupe) d'huile de sésame (non grillé)
- 10 ml (2 c. à thé) d'ail haché
- 15 ml (1 c. à soupe) de gingembre haché
- 375 ml (1 ½ tasse) de mélange de légumes asiatiques surgelés
- 2 oignons verts émincés
- 1 piment thaï haché finement
- 45 ml (3 c. à soupe) de noix de cajou grillées

1. Dans un bol rempli d'eau bouillante, réhydrater les vermicelles de 8 à 10 minutes jusqu'à ce qu'ils soient ramollis. Égoutter.

2. Dans un autre bol, mélanger les ingrédients de la sauce.

3. Couper les hauts de cuisses en cubes.

4. Dans une poêle, chauffer l'huile à feu moyen. Cuire les cubes de poulet de 4 à 5 minutes en remuant, jusqu'à ce que l'intérieur de la chair du poulet ait perdu sa teinte rosée. Transférer dans une assiette.

5. Dans la même poêle, cuire l'ail, le gingembre et le mélange de légumes de 3 à 4 minutes.

6. Remettre les cubes de poulet dans la poêle. Ajouter les oignons verts et la sauce. Porter à ébullition, puis ajouter le piment thaï et les noix de cajou.

7. Incorporer les vermicelles au sauté ou les servir en accompagnement.

PAR PORTION		
TENEUR		VQ*
Calories	243	-
Protéines	16 g	-
M.G.	4 g	-
Glucides	39 g	-
Fibres	4 g	15 %
Fer	1 mg	7 %
Calcium	475 mg	43 %
Sodium	163 mg	7 %

*VQ = valeur quotidienne

MARDI DÉJEUNER

Smoothie fraises-banane

PRÉPARATION **5 MINUTES** / QUANTITÉ **2 PORTIONS**

- 500 ml (2 tasses) de lait 1 %
- 250 ml (1 tasse) de fraises équeutées
- 125 ml (½ tasse) de yogourt nature 0 %
- 30 ml (2 c. à soupe) de germe de blé
- 1 banane

1. Dans le contenant du mélangeur, déposer tous les ingrédients. Émulsionner de 1 à 2 minutes, jusqu'à l'obtention d'une texture homogène.

2. Si le smoothie est trop liquide, ajouter un peu de yogourt. S'il n'est pas assez liquide, ajouter un peu de lait.

PAR PORTION 45 ml (3 c. à soupe)		
TENEUR		VQ*
Calories	86	-
Protéines	4 g	-
M.G.	4 g	-
Glucides	11 g	-
Fibres	2 g	8 %
Fer	1 mg	8 %
Calcium	22 mg	2 %
Sodium	81 mg	3 %

*VQ = valeur quotidienne

MARDI COLLATION DU MATIN

Houmous aux poivrons rôtis

PRÉPARATION **15 MINUTES** / QUANTITÉ **500 ml (2 TASSES)**

- 1 boîte de pois chiches de 540 ml, rincés et égouttés
- 250 ml (1 tasse) de poivrons rouges grillés émincés
- 30 ml (2 c. à soupe) de tahini (beurre de sésame)
- 15 ml (1 c. à soupe) de paprika
- 15 ml (1 c. à soupe) de jus de citron
- 10 ml (2 c. à thé) d'ail haché
- Sel et poivre au goût
- 30 ml (2 c. à soupe) de coriandre hachée

1. Dans le contenant du robot culinaire, déposer les pois chiches, les poivrons grillés, le tahini, le paprika, le jus de citron et l'ail. Saler et poivrer. Mélanger jusqu'à l'obtention d'une préparation onctueuse.

2. Transvider la préparation dans un bol. Incorporer la coriandre. Ce houmous se conserve de 3 à 4 jours au frais dans un contenant hermétique.

EN ACCOMPAGNEMENT

125 ml (½ tasse) de poivron rouge ou orange émincé, 60 ml (¼ de tasse) de carottes coupées en bâtonnets et 125 ml (½ tasse) de céleri coupé en bâtonnets

QUANTITÉ : 1 portion

38 calories et 1 g de protéines

PAR PORTION		
TENEUR		VQ*
Calories	301	-
Protéines	20 g	-
M.G.	10 g	-
Glucides	22 g	-
Fibres	3 g	13 %
Fer	1 mg	7 %
Calcium	125 mg	11 %
Sodium	655 mg	27 %

*VQ = valeur quotidienne

MARDI **DÎNER**

Salade de couscous de blé entier et crevettes nordiques

PRÉPARATION **20 MINUTES** / RÉFRIGÉRATION **1 HEURE** / QUANTITÉ **4 PORTIONS**

- 250 ml (1 tasse) de couscous de blé entier
- 10 ml (2 c. à thé) de cumin
- Sel et poivre au goût
- 250 ml (1 tasse) d'eau bouillante
- 1 poivron orange
- 1 concombre libanais
- 225 g (375 ml) de crevettes nordiques
- 100 g (3 ½ oz) de feta coupée en dés
- 60 ml (¼ de tasse) de persil haché
- 45 ml (3 c. à soupe) de ciboulette hachée
- 15 ml (1 c. à soupe) d'huile d'olive
- ½ citron (jus)

1. Dans un grand bol, déposer le couscous et le cumin. Saler et poivrer. Verser l'eau bouillante et remuer. Couvrir et laisser reposer 5 minutes.

2. À l'aide d'une fourchette, égrainer le couscous. Laisser tiédir quelques minutes.

3. Pendant ce temps, couper le poivron et le concombre en petits dés.

4. Dans un saladier, déposer le poivron, le concombre, les crevettes, la feta, les fines herbes, l'huile et le jus de citron. Ajouter le cousous tiédi. Remuer et rectifier l'assaisonnement au besoin.

5. Réfrigérer 1 heure avant de servir.

PETIT DESSERT

250 ml (1 tasse) de cantaloup coupé en cubes

QUANTITÉ : 1 portion

56 calories et 1 g de protéines

COLLATION DE L'APRÈS-MIDI

23 amandes entières

QUANTITÉ : 1 portion

160 calories et 6 g de protéines

PAR PORTION		
TENEUR		VQ*
Calories	372	-
Protéines	31 g	-
M.G.	27 g	-
Glucides	19 g	-
Fibres	2 g	6 %
Fer	3 mg	23 %
Calcium	456 mg	41 %
Sodium	684 mg	29 %

*VQ = valeur quotidienne

MARDI SOUPER

Total de l'assiette : 418 calories

Tofu parmigiana

PRÉPARATION **20 MINUTES** / CUISSON **10 MINUTES** / QUANTITÉ **4 PORTIONS**

- 1 bloc de tofu ferme de 454 g
- 2 œufs
- 250 ml (1 tasse) de chapelure panko ou de chapelure nature
- 60 ml (¼ de tasse) de parmesan râpé
- 10 ml (2 c. à thé) d'assaisonnements italiens
- 1 gousse d'ail hachée finement
- Sel et poivre au goût
- 30 ml (2 c. à soupe) d'huile d'olive
- 250 ml (1 tasse) de sauce tomate
- Quelques feuilles de basilic
- 250 ml (1 tasse) de mozzarella râpée

1. Couper le bloc de tofu en tranches d'environ 0,5 cm (¼ de po) d'épaisseur. Éponger les tranches à l'aide de papier absorbant.

2. Préparer deux assiettes creuses. Dans la première, battre les œufs. Dans la deuxième, mélanger la chapelure avec 30 ml (2 c. à soupe) de parmesan, les assaisonnements italiens et l'ail. Saler et poivrer.

3. Tremper les tranches de tofu dans les œufs battus, puis les enrober du mélange de chapelure.

4. Dans une poêle, chauffer l'huile à feu moyen. Faire dorer les tranches de tofu de 2 à 3 minutes de chaque côté.

5. Préchauffer le four à la position « gril » (*broil*).

6. Déposer les tranches de tofu dans un plat de cuisson et les couvrir de sauce tomate. Parsemer de basilic, de mozzarella et du reste du parmesan. Faire gratiner au four 5 minutes.

EN ACCOMPAGNEMENT

Salade de roquette aux tomates séchées et parmesan

QUANTITÉ : 4 portions

PAR PORTION : 46 calories ; protéines 3 g ; matières grasses 2 g ; glucides 4 g ; fibres 1 g (3 % VQ) ; fer 1 mg (6 % VQ) ; calcium 88 mg (8 % VQ) ; sodium 384 mg (16 % VQ)
VQ = valeur quotidienne

Dans un saladier, mélanger 80 ml (⅓ de tasse) de tomates séchées émincées avec 60 ml (¼ de tasse) de vinaigrette italienne faible en calories et 45 ml (3 c. à soupe) de parmesan râpé. Ajouter 750 ml (3 tasses) de roquette et remuer.

« Vraiment bon ! Une superbe découverte ! Pour le reste de la famille : des escalopes de veau à la place du tofu. »

– Caty

PAR PORTION		
TENEUR		VQ*
Calories	324	-
Protéines	25 g	-
M.G.	13 g	-
Glucides	33 g	-
Fibres	12 g	46 %
Fer	3 mg	19 %
Calcium	455 mg	41 %
Sodium	11 mg	1 %

*VQ = valeur quotidienne

MERCREDI DÉJEUNER

Parfait protéiné aux fraises et à l'orange

PRÉPARATION **10 MINUTES** / QUANTITÉ **1 PORTION**

- 175 ml (environ ¾ de tasse) de yogourt grec nature 0 %
- 15 ml (1 c. à soupe) de graines de chia
- 30 ml (2 c. à soupe) de graines de tournesol
- 125 ml (½ tasse) de fraises équeutées
- ½ orange taillée en suprêmes

1. Dans un bol, mélanger le yogourt avec les graines de chia et les graines de tournesol.

2. Déposer le tiers de la préparation au yogourt dans une verrine, puis couvrir du tiers des fruits. Répéter deux fois afin de former trois étages.

COLLATION DU MATIN

250 ml (1 tasse) de boisson de soya à la vanille

QUANTITÉ : 1 portion

100 calories et 3 g de protéines

PAR PORTION		
TENEUR		VQ*
Calories	339	-
Protéines	18 g	-
M.G.	20 g	-
Glucides	22 g	-
Fibres	2 g	9 %
Fer	2 mg	14 %
Calcium	364 mg	33 %
Sodium	559 mg	23 %

*VQ = valeur quotidienne

MERCREDI DÎNER

Quiche aux légumes

PRÉPARATION **20 MINUTES** / RÉFRIGÉRATION **10 MINUTES** / CUISSON **52 MINUTES** / QUANTITÉ **6 PORTIONS**

POUR LA PÂTE :

- 125 ml (½ tasse) de farine
- 80 ml (⅓ de tasse) de farine de blé entier
- 5 ml (1 c. à thé) de poudre à pâte
- 2,5 ml (½ c. à thé) de sel
- 80 ml (⅓ de tasse) de yogourt grec nature 0 %
- 80 ml (⅓ de tasse) d'huile d'olive

POUR LA GARNITURE :

- ¼ de brocoli taillé en petits bouquets
- ¼ de chou-fleur taillé en petits bouquets
- 1 courgette coupée en dés
- ½ oignon haché
- 250 ml (1 tasse) de cheddar réduit en matières grasses (18 %) râpé
- 250 ml (1 tasse) de lait 1 %
- 4 œufs
- 30 ml (2 c. à soupe) de moutarde à l'ancienne
- 45 ml (3 c. à soupe) de basilic émincé

1. Dans un bol, mélanger les ingrédients secs de la pâte. Incorporer le yogourt et l'huile. Mélanger jusqu'à l'obtention d'une pâte sans grumeaux.

2. Beurrer un plat de cuisson carré de 20 cm (8 po). Déposer la pâte dans le plat et l'étendre uniformément sur le fond et les parois du plat. Laisser reposer 10 minutes au frais.

3. Préchauffer le four à 205 °C (400 °F).

4. Dans une casserole d'eau bouillante salée, blanchir le brocoli, le chou-fleur et la courgette 3 minutes. Égoutter et refroidir sous l'eau froide. Égoutter de nouveau et déposer sur du papier absorbant.

5. Répartir les légumes et le fromage sur la pâte.

6. Dans un bol, fouetter le lait avec les œufs, la moutarde et le basilic. Verser sur les légumes et le fromage.

7. Cuire au four 12 minutes.

8. Diminuer la température du four à 180 °C (350 °F) et poursuivre la cuisson de 40 à 45 minutes.

PETIT DESSERT

175 ml (environ ¾ de tasse) de yogourt à la vanille 2,9 %

QUANTITÉ : 1 portion

155 calories et 8 g de protéines

PAR PORTION environ 125 ml (½ tasse)		
TENEUR		VQ*
Calories	201	-
Protéines	8 g	-
M.G.	6 g	-
Glucides	30 g	-
Fibres	4 g	17 %
Fer	3 mg	20 %
Calcium	53 mg	5 %
Sodium	160 mg	7 %

* VQ = valeur quotidienne

MERCREDI COLLATION DE L'APRÈS-MIDI

Pois chiches épicés rôtis

PRÉPARATION **10 MINUTES** / CUISSON **30 MINUTES** / QUANTITÉ **4 PORTIONS**

- 1 boîte de pois chiches de 540 ml
- 15 ml (1 c. à soupe) d'huile de noix de coco vierge pressée à froid fondue
- 15 ml (1 c. à soupe) de sauce sriracha
- 15 ml (1 c. à soupe) de sirop d'érable
- 1,25 ml (¼ de c. à thé) de cannelle
- 2 pincées de sel

1. Préchauffer le four à 205 °C (400 °F).

2. Rincer les pois chiches sous l'eau froide. Égoutter et assécher sur du papier absorbant.

3. Dans un bol, verser l'huile de noix de coco. Incorporer la sauce sriracha, le sirop d'érable, la cannelle et le sel. Ajouter les pois chiches et remuer pour les enrober de la préparation.

4. Tapisser une plaque de cuisson de papier parchemin, puis y déposer les pois chiches.

5. Cuire au four de 30 à 35 minutes, en remuant toutes les 10 minutes.

PAR PORTION		
TENEUR		VQ*
Calories	352	-
Protéines	25 g	-
M.G.	19 g	-
Glucides	20 g	-
Fibres	4 g	17 %
Fer	2 mg	11 %
Calcium	90 mg	8 %
Sodium	155 mg	7 %

*VQ = valeur quotidienne

MERCREDI SOUPER

Saumon teriyaki sur julienne de légumes

PRÉPARATION **15 MINUTES** / CUISSON **18 MINUTES** / QUANTITÉ **4 PORTIONS**

- 4 filets de saumon de 100 g (3 ½ oz) chacun, la peau enlevée
- 60 ml (¼ de tasse) de sauce teriyaki
- 3 carottes taillées en julienne
- 2 courgettes taillées en julienne
- ½ rutabaga taillé en julienne
- 15 ml (1 c. à soupe) d'huile de sésame (non grillé)
- 1 oignon haché
- 5 ml (1 c. à thé) d'ail haché
- 15 ml (1 c. à soupe) de graines de sésame noires et blanches

1. Préchauffer le four à 205 °C (400 °F).

2. Badigeonner les filets de saumon de sauce teriyaki.

3. Dans un bol, mélanger les juliennes de légumes avec l'huile, l'oignon et l'ail.

4. Sur quatre grandes feuilles de papier d'aluminium, répartir le mélange de légumes. Déposer un filet de saumon sur chaque feuille. Parsemer de graines de sésame. Replier les feuilles de manière à former des papillotes hermétiques. Déposer les papillotes sur une plaque de cuisson.

5. Cuire au four de 18 à 20 minutes, jusqu'à ce que les papillotes soient gonflées et que la chair du poisson se défasse facilement à la fourchette.

« Cette recette a fait l'unanimité dans ma famille ! Mon fils a adoré ! Le goût lui a fait penser à des côtes levées... cherchez pourquoi ?! »

– Caty

PAR PORTION		
TENEUR		VQ*
Calories	483	-
Protéines	17 g	-
M.G.	11 g	-
Glucides	86 g	-
Fibres	12 g	50 %
Fer	4 mg	31 %
Calcium	185 mg	17 %
Sodium	140 mg	6 %

* VQ = valeur quotidienne

JEUDI DÉJEUNER

Gruau sans cuisson à la pomme

À préparer la veille

PRÉPARATION **10 MINUTES** / RÉFRIGÉRATION **8 HEURES** / QUANTITÉ **1 PORTION**

- 250 ml (1 tasse) de boisson de soya nature ou de lait d'amandes nature
- 125 ml (½ tasse) de gros flocons d'avoine
- 15 ml (1 c. à soupe) de graines de chia
- 5 ml (1 c. à thé) de sirop d'érable
- 1,25 ml (¼ de c. à thé) de cannelle
- 1 pomme taillée en dés

1. Dans un pot Mason, mélanger tous les ingrédients.

2. Fermer le pot et réfrigérer de 8 à 12 heures.

COLLATION DU MATIN

125 ml (½ tasse) de compote de pommes non sucrée

QUANTITÉ : 1 portion

54 calories et 0 g de protéines

PAR PORTION		
TENEUR		VQ*
Calories	382	-
Protéines	36 g	-
M.G.	13 g	-
Glucides	30 g	-
Fibres	4 g	17 %
Fer	3 mg	19 %
Calcium	207 mg	19 %
Sodium	220 mg	9 %

*VQ = valeur quotidienne

JEUDI DÎNER

Pâtés au poulet en pâte phyllo

Préparez cette recette à l'avance et congelez vos portions pour de futurs lunchs !

PRÉPARATION **20 MINUTES** / CUISSON **25 MINUTES** / QUANTITÉ **4 PORTIONS**

- 3 poitrines de poulet sans peau de 150 g (⅓ de lb) chacune coupées en petits cubes
- 500 ml (2 tasses) de macédoine de légumes
- 60 ml (¼ de tasse) de beurre
- 60 ml (¼ de tasse) de farine
- 500 ml (2 tasses) de lait 2 %
- Sel et poivre au goût
- 15 ml (1 c. à soupe) d'estragon haché
- 4 feuilles de pâte phyllo

1. Préchauffer le four à 190 °C (375 °F).

2. Dans une casserole d'eau bouillante salée, cuire le poulet et la macédoine de 5 à 6 minutes. Égoutter.

3. Dans une autre casserole, faire fondre 45 ml (3 c. à soupe) de beurre à feu moyen. Incorporer la farine. Verser le lait et porter à ébullition en fouettant.

4. Saler et poivrer. Incorporer le poulet ainsi que les légumes et l'estragon. Répartir la préparation dans quatre ramequins.

5. Faire fondre le reste du beurre au micro-ondes ou dans une petite casserole. Badigeonner les feuilles de pâte phyllo de beurre et les superposer au fur et à mesure. Tailler dans la pâte quatre cercles de même diamètre que les ramequins.

6. Couvrir chaque ramequin d'un cercle de pâte. Cuire au four de 18 à 20 minutes.

EN ACCOMPAGNEMENT

250 ml (1 tasse) de jus de légumes et 250 ml (1 tasse) de légumes au choix

QUANTITÉ : 1 portion

107 calories et 6 g de protéines (avec 250 ml – 1 tasse de bouquets de brocoli cuits)

COLLATION DE L'APRÈS-MIDI

1 fromage effilochable (de type Ficello)

QUANTITÉ : 1 portion

70 calories et 5 g de protéines

PAR PORTION		
TENEUR		VQ*
Calories	262	-
Protéines	22 g	-
M.G.	9 g	-
Glucides	23 g	-
Fibres	6 g	25 %
Fer	3 mg	20 %
Calcium	64 mg	6 %
Sodium	224 mg	9 %

* VQ = valeur quotidienne

JEUDI SOUPER

Ragoût de boulettes aux légumes

PRÉPARATION **15 MINUTES** / CUISSON **18 MINUTES** / QUANTITÉ **DE 4 À 6 PORTIONS**

- 450 g (1 lb) de bœuf haché maigre
- 1 oignon haché
- 1 œuf
- 30 ml (2 c. à soupe) de persil haché
- 15 ml (1 c. à soupe) de thym haché
- 15 ml (1 c. à soupe) de beurre
- 1 ½ boîte de consommé de bœuf de 284 ml
- 500 ml (2 tasses) de macédoine de légumes
- 4 pommes de terre pelées et coupées en dés
- 125 ml (½ tasse) de vin rouge

1. Dans un bol, mélanger le bœuf haché avec l'oignon, l'œuf et les fines herbes.

2. Façonner des boulettes en utilisant environ 30 ml (2 c. à soupe) de préparation pour chacune d'elles.

3. Dans une casserole, faire fondre le beurre à feu moyen. Faire dorer les boulettes sur toutes les faces.

4. Ajouter le consommé de bœuf, la macédoine, les pommes de terre et le vin rouge. Couvrir et cuire de 18 à 20 minutes à feu doux-moyen, jusqu'à ce que l'intérieur des boulettes ait perdu sa teinte rosée.

EN ACCOMPAGNEMENT

Mâche et laitue frisée aux artichauts

QUANTITÉ : 4 portions

PAR PORTION : 56 calories ; protéines 2 g ; matières grasses 3 g ; glucides 8 g ; fibres 2 g (10 % VQ) ; fer 1 mg (10 % VQ) ; calcium 46 mg (4 % VQ); sodium 188 mg (8 % VQ)
VQ = valeur quotidienne

Dans un saladier, mélanger 15 ml (1 c. à soupe) d'huile d'olive avec 30 ml (2 c. à soupe) de jus de citron, 30 ml (2 c. à soupe) d'eau, 15 ml (1 c. à soupe) d'assaisonnements italiens et 15 ml (1 c. à soupe) de moutarde à l'ancienne.
Ajouter le contenu de 1 boîte de fonds d'artichauts de 398 ml égouttés et émincés ainsi que 500 ml (2 tasses) de mâche et ½ laitue frisée verte déchiquetée. Remuer.

PAR PORTION (2 galettes avec garniture)		
TENEUR		VQ*
Calories	520	-
Protéines	24 g	-
M.G.	20 g	-
Glucides	69 g	-
Fibres	6 g	24 %
Fer	2 mg	18 %
Calcium	490 mg	45 %
Sodium	214 mg	9 %

* VQ = valeur quotidienne

VENDREDI DÉJEUNER

Galettes de sarrasin avec banane, yogourt et beurre d'amande

PRÉPARATION **15 MINUTES** / CUISSON **20 MINUTES** / QUANTITÉ **1 PORTION**

POUR LES GALETTES (DONNE 20 GALETTES) :

- 500 ml (2 tasses) de farine de sarrasin
- 1 litre (4 tasses) d'eau
- 5 ml (1 c. à thé) de poudre à pâte
- 2,5 ml (½ c. à thé) de sel

POUR LA GARNITURE (POUR 1 PORTION) :

- 30 ml (2 c. à soupe) de beurre d'amande
- 1 banane tranchée
- 175 ml (environ ¾ de tasse) de yogourt grec à la vanille 0 %

1. Dans un bol, fouetter la farine de sarrasin avec l'eau, la poudre à pâte et le sel.

2. Beurrer une poêle, puis y verser environ 60 ml (¼ de tasse) de pâte. Incliner la poêle dans tous les sens pour en couvrir le fond. Cuire la galette de 1 à 2 minutes à feu moyen-élevé, jusqu'à ce que des bulles commencent à se former à la surface. Retourner la galette et cuire de 1 à 2 minutes de l'autre côté. Répéter avec le reste de la pâte de manière à former 20 galettes au total. Ces galettes se conservent au frais 2 jours dans un contenant hermétique et peuvent être congelées de 1 à 2 mois.

3. Au moment de servir, garnir deux galettes (pour une portion) de beurre d'amande, de tranches de banane et de yogourt.

COLLATION DU MATIN

15 ml (1 c. à soupe) d'abricots séchés et 30 ml (2 c. à soupe) de noix mélangées

QUANTITÉ : 1 portion

123 calories et 3 g de protéines

PAR PORTION

TENEUR		VQ*
Calories	393	-
Protéines	16 g	-
M.G.	30 g	-
Glucides	16 g	-
Fibres	1 g	5 %
Fer	1 mg	6 %
Calcium	353 mg	32 %
Sodium	951 mg	40 %

* VQ = valeur quotidienne

VENDREDI DÎNER

Soupe fromage et brocoli

PRÉPARATION **15 MINUTES** / CUISSON **5 MINUTES** / QUANTITÉ **4 PORTIONS**

- 60 ml (¼ de tasse) de beurre
- 1 oignon haché
- 10 ml (2 c. à thé) d'ail haché
- 60 ml (¼ de tasse) de farine
- 750 ml (3 tasses) de bouillon de poulet sans sel ajouté
- 375 ml (1 ½ tasse) de cheddar râpé
- 1 brocoli coupé en petits bouquets
- 180 ml (¾ de tasse) de mélange laitier pour cuisson 5 %
- Sel et poivre au goût

1. Dans une casserole, faire fondre le beurre à feu moyen. Cuire l'oignon et l'ail de 1 à 2 minutes.

2. Incorporer la farine, puis verser le bouillon de poulet. Porter à ébullition en fouettant.

3. Ajouter le cheddar et remuer jusqu'à ce qu'il soit fondu.

4. Ajouter le brocoli et le mélange laitier pour cuisson. Saler et poivrer. Porter à ébullition, puis cuire de 3 à 5 minutes.

5. À l'aide du mélangeur-plongeur, réduire la préparation en potage lisse.

COLLATION DE L'APRÈS-MIDI

30 ml (2 c. à soupe) de houmous aux poivrons rôtis (voir la recette à la page 51) servi avec 60 ml (¼ de tasse) de carottes coupées en bâtonnets et 125 ml (½ tasse) de céleri coupé en bâtonnets.

QUANTITÉ : 1 portion

81 calories et 3 g de protéines

PAR PORTION		
TENEUR		VQ*
Calories	308	-
Protéines	17 g	-
M.G.	16 g	-
Glucides	28 g	-
Fibres	4 g	17 %
Fer	3 mg	20 %
Calcium	128 mg	12 %
Sodium	869 mg	36 %

* VQ = valeur quotidienne

VENDREDI SOUPER

Total de l'assiette : 386 calories

Pizzas au jambon, brie et poireaux

PRÉPARATION **15 MINUTES** / CUISSON **8 MINUTES** / QUANTITÉ **4 PORTIONS**

- 1 sac de poireaux émincés de 250 g ou 2 blancs de poireaux émincés
- 30 ml (2 c. à soupe) de pesto
- 4 pitas de blé entier
- 150 g (1/3 de lb) de jambon tranché
- 150 g (1/3 de lb) de brie tranché
- Poivre au goût
- 30 ml (2 c. à soupe) de basilic émincé
- 30 ml (2 c. à soupe) de feuilles d'origan

1. Préchauffer le four à 205 °C (400 °F).

2. Dans une casserole d'eau bouillante salée, blanchir les poireaux 2 minutes. Égoutter.

3. Étaler le pesto sur les pitas. Garnir de poireaux, de jambon et de brie. Poivrer.

4. Déposer les pizzas sur une plaque de cuisson tapissée de papier parchemin. Cuire au four de 8 à 10 minutes.

5. À la sortie du four, parsemer de basilic et d'origan.

« Vraiment bon ! J'ai remplacé le pita par une tortilla de blé entier : plus croustillant et moins calorique ! »

– Caty

EN ACCOMPAGNEMENT

Salade de bébés épinards aux suprêmes d'oranges

QUANTITÉ : 4 portions

PAR PORTION : 78 calories ; protéines 1 g ; matières grasses 4 g ; glucides 12 g ; fibres 2 g (7 % VQ) ; fer 1 mg (3 % VQ) ; calcium 43 mg (4 % VQ) ; sodium 11 mg (0,5 % VQ)
VQ = valeur quotidienne

Prélever les suprêmes de 2 oranges en coupant d'abord l'écorce à vif, puis en tranchant de chaque côté des membranes. Réserver les suprêmes. Au-dessus d'un saladier, presser les membranes afin d'en récupérer le jus. Incorporer 15 ml (1 c. à soupe) d'huile d'olive, 15 ml (1 c. à soupe) d'eau et 10 ml (2 c. à thé) de miel. Saler et poivrer. Ajouter 410 ml (1 2/3 tasse) de bébés épinards et les suprêmes des oranges. Remuer.

PAR PORTION (2 crêpes)		
TENEUR		VQ*
Calories	228	-
Protéines	13 g	-
M.G.	5 g	-
Glucides	32 g	-
Fibres	3 g	12 %
Fer	2 mg	12 %
Calcium	236 mg	22 %
Sodium	83 mg	4 %

* VQ = valeur quotidienne

SAMEDI DÉJEUNER

Crêpes protéinées

PRÉPARATION **15 MINUTES** / CUISSON **20 MINUTES** / QUANTITÉ **6 PORTIONS (12 CRÊPES)**

- 250 ml (1 tasse) de yogourt grec à la vanille 0 %
- 15 ml (1 c. à soupe) de zestes de lime
- 1,25 ml (¼ de c. à thé) de cannelle
- 500 ml (2 tasses) de petits fruits au choix

POUR LES CRÊPES :

- 375 ml (1 ½ tasse) de lait 2 %
- 250 ml (1 tasse) de flocons d'avoine à cuisson rapide
- 60 ml (¼ de tasse) de ricotta
- 30 ml (2 c. à soupe) de lait en poudre
- 15 ml (1 c. à soupe) de cassonade
- 5 ml (1 c. à thé) de vanille
- 2 œufs

1. Dans le contenant du mélangeur, déposer les ingrédients pour les crêpes et émulsionner 1 minute jusqu'à l'obtention d'une pâte lisse.

2. Huiler une poêle antiadhésive, puis y verser environ 80 ml (⅓ de tasse) de pâte. Incliner la poêle dans tous les sens pour en couvrir le fond. Cuire 1 minute de chaque côté, jusqu'à ce que des bulles se forment à la surface. Répéter avec le reste de la pâte afin de former 12 crêpes au total.

3. Dans un bol, mélanger le yogourt avec les zestes et la cannelle. Servir les crêpes avec les fruits et la préparation au yogourt.

COLLATION DU MATIN

1 fromage effilochable (de type Ficello) et 1 poire

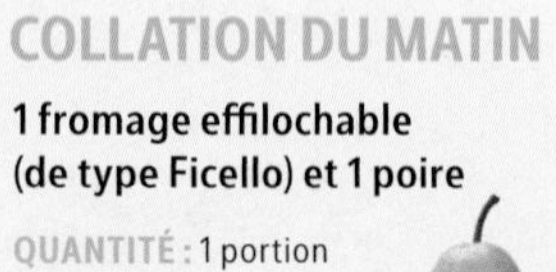

QUANTITÉ : 1 portion

166 calories et 5 g de protéines

SAMEDI DÎNER

Ciabattas au saumon fumé, chèvre, citron et érable

PRÉPARATION **15 MINUTES** / CUISSON 12 **MINUTES** / QUANTITÉ **4 PORTIONS**

Accompagnez votre ciabatta de légumes au choix. Par exemple, 250 ml (1 tasse) de bâtonnets de céleri ajouteront 20 calories à votre repas.

PAR PORTION

TENEUR		VQ*
Calories	301	-
Protéines	27 g	-
M.G.	13 g	-
Glucides	20 g	-
Fibres	1 g	4 %
Fer	1 mg	7 %
Calcium	73 mg	7 %
Sodium	633 mg	26 %

* VQ = valeur quotidienne

- 1 fromage de chèvre crémeux de 125 g
- 30 ml (2 c. à soupe) de sirop d'érable
- 15 ml (1 c. à soupe) de zestes de citron
- 30 ml (2 c. à soupe) de ciboulette hachée
- Poivre au goût
- 4 petits ciabattas
- 2 paquets de saumon fumé de 120 g chacun
- 500 ml (2 tasses) de roquette

1. Préchauffer le gril à panini à puissance moyenne ou une poêle antiadhésive (striée ou ordinaire) à feu moyen.

2. Dans un bol, mélanger le fromage de chèvre avec le sirop d'érable, les zestes et la ciboulette. Poivrer.

3. Couper les pains en deux sur l'épaisseur. Tartiner les pains de la préparation au fromage de chèvre, puis les garnir de saumon fumé et de roquette. Fermer les ciabattas.

4. Cuire les ciabattas 6 minutes dans le gril à panini ou 3 minutes de chaque côté dans la poêle, jusqu'à ce que le pain dore.

COLLATION DE L'APRÈS-MIDI

1 petit contenant de yogourt grec à la vanille 0 % de 100 g

QUANTITÉ : 1 portion

75 calories et 9 g de protéines

PAR PORTION		
TENEUR		VQ*
Calories	352	-
Protéines	41 g	-
M.G.	15 g	-
Glucides	12 g	-
Fibres	2 g	7 %
Fer	4 mg	27 %
Calcium	152 mg	14 %
Sodium	297 mg	12 %

*VQ = valeur quotidienne

SAMEDI SOUPER

Total de l'assiette : 408 calories

Côtelettes de veau, sauce poireaux et moutarde

PRÉPARATION 15 MINUTES / CUISSON 8 MINUTES / QUANTITÉ 4 PORTIONS

- 15 ml (1 c. à soupe) de beurre
- 4 côtelettes de veau
- Sel et poivre au goût
- 1 sac de poireaux tranchés de 250 g ou 2 blancs de poireaux émincés
- 250 ml (1 tasse) de crème à cuisson 15 %
- 125 ml (½ tasse) de bouillon de poulet
- 30 ml (2 c. à soupe) de moutarde de Dijon
- 30 ml (2 c. à soupe) d'estragon haché

1. Dans une poêle, faire fondre le beurre à feu moyen. Cuire les côtelettes de 2 à 3 minutes de chaque côté. Saler et poivrer. Réserver dans une assiette.

2. Dans la même poêle, cuire les poireaux de 2 à 3 minutes.

3. Ajouter la crème, le bouillon et la moutarde. Saler et poivrer. Chauffer à feu doux-moyen jusqu'à ce que le liquide ait réduit du quart. Incorporer l'estragon.

4. Napper les côtelettes de sauce aux poireaux.

EN ACCOMPAGNEMENT

Pois mange-tout et oignon rouge

QUANTITÉ : 4 portions

PAR PORTION : 56 calories; protéines 2 g ; matières grasses 2 g ; glucides 7 g ; fibres 2 g (6 % VQ) ; fer 2 mg (12 % VQ); calcium 36 mg (3 % VQ) ; sodium 25 mg (1 % VQ)
VQ = valeur quotidienne

Dans une casserole d'eau bouillante salée, blanchir 300 g (⅔ de lb) de pois mange-tout de 3 à 4 minutes. Égoutter. Dans une poêle, faire fondre 15 ml (1 c. à soupe) de beurre léger à feu moyen. Faire revenir 1 petit oignon rouge coupé en dés de 1 à 2 minutes. Ajouter les pois mange-tout. Cuire de 1 à 2 minutes. Saler et poivrer.

PAR PORTION		
TENEUR		VQ*
Calories	200	-
Protéines	3 g	-
M.G.	8 g	-
Glucides	30 g	-
Fibres	4 g	17 %
Fer	1 mg	7 %
Calcium	5 mg	0,4 %
Sodium	41 mg	2 %

* VQ = valeur quotidienne

SAMEDI GÂTERIE DE SOIRÉE

Maïs soufflé noix de coco et lime

PRÉPARATION **10 MINUTES** / CUISSON **2 MINUTES** / QUANTITÉ **4 PORTIONS**

- 125 ml (½ tasse) de grains de maïs à éclater
- 30 ml (2 c. à soupe) d'huile de noix de coco vierge crue fondue
- 15 ml (1 c. à soupe) de zestes de lime
- 15 ml (1 c. à soupe) de jus de lime
- 20 ml (4 c. à thé) de miel
- 5 ml (1 c. à thé) de coriandre moulue
- Sel au goût

1. Dans un grand bol allant au micro-ondes, déposer les grains de maïs. Couvrir d'une pellicule plastique et cuire au micro-ondes avec la fonction « popcorn » ou à puissance maximale de 2 à 4 minutes, jusqu'à ce qu'un délai d'environ 2 secondes s'écoule entre chaque éclatement.

2. Dans un autre bol allant au micro-ondes, mélanger l'huile de noix de coco avec les zestes et le jus de lime, le miel ainsi que la coriandre. Chauffer 30 secondes au micro-ondes.

3. Ajouter les grains de maïs éclatés dans le bol contenant le mélange à la noix de coco. Remuer afin de bien enrober les grains. Saler. Servir aussitôt.

OUI AU POPCORN !

On a tendance à croire que le popcorn est calorique et néfaste pour la santé. C'est vrai en ce qui concerne celui au beurre que l'on mange au cinéma, mais ce ne l'est pas pour celui que l'on fait à la maison à partir de grains nature. Soufflé à l'air ou cuit (sans huile) dans un sac en papier au micro-ondes, celui-ci n'offre que 31 calories par portion de 250 ml (1 tasse). On adore ! Peu caloriques, riches en fibres, en fer, en calcium et en protéines : les grains de maïs soufflés ont tout pour être aimés ! Pour rehausser leur saveur sans augmenter leur teneur en calories, on y ajoute des épices. Miam !

DIMANCHE DÉJEUNER

Smoothie à l'ananas et pomme verte

PRÉPARATION **10 MINUTES** / QUANTITÉ **1 PORTION**

PAR PORTION		
TENEUR		VQ*
Calories	378	-
Protéines	21 g	-
M.G.	4 g	-
Glucides	49 g	-
Fibres	6 g	25 %
Fer	2 mg	11 %
Calcium	554 mg	50 %
Sodium	117 mg	5 %

* VQ = valeur quotidienne

- 250 ml (1 tasse) de boisson de soya à la vanille
- 125 ml (½ tasse) de yogourt grec nature 0 %
- 125 ml (½ tasse) d'ananas taillé en dés
- 5 ml (1 c. à thé) de miel
- 1 banane
- ½ pomme verte pelée
- ½ citron (jus)

1. Dans le contenant du mélangeur, déposer tous les ingrédients. Émulsionner de 1 à 2 minutes, jusqu'à l'obtention d'une texture homogène.

2. Si le smoothie est trop liquide, ajouter un peu de yogourt. S'il n'est pas assez liquide, ajouter un peu de boisson de soya.

On adore le smoothie pour son côté pratique : il est rapide à faire et facile à transporter. On peut donc le boire à la maison ou au bureau, ce qui est parfait pour les personnes ayant peu de temps ou d'appétit le matin. Complet, il permet de consommer fruits, légumes, produits laitiers et graines. Pour un maximum de soutien et d'énergie, on ajoute une source de protéines, tel du yogourt grec ou du tofu.

– Charlotte

PAR PORTION		
TENEUR		VQ*
Calories	204	-
Protéines	5 g	-
M.G.	11 g	-
Glucides	25 g	-
Fibres	3 g	10 %
Fer	1 mg	7 %
Calcium	29 mg	3 %
Sodium	29 mg	1 %

*VQ = valeur quotidienne

DIMANCHE COLLATION DU MATIN

Carrés au millet soufflé, abricots et amandes

PRÉPARATION **20 MINUTES** / CUISSON **10 MINUTES** / QUANTITÉ **16 CARRÉS**

- 375 ml (1 ½ tasse) de céréales de riz soufflé (de type Rice Krispies)
- 180 ml (¾ de tasse) de millet soufflé
- 250 ml (1 tasse) de flocons d'avoine à cuisson rapide
- 180 ml (¾ de tasse) d'abricots séchés hachés
- 45 ml (3 c. à soupe) de graines de citrouille
- 45 ml (3 c. à soupe) d'amandes effilées
- 180 ml (¾ de tasse) de miel
- 45 ml (3 c. à soupe) de beurre
- 80 ml (⅓ de tasse) de beurre d'arachide croquant
- 5 ml (1 c. à thé) de vanille
- 180 ml (¾ de tasse) d'amandes entières non mondées

1. Préchauffer le four à 205 °C (400 °F).

2. Dans un bol, mélanger les céréales de riz soufflé avec le millet soufflé, les flocons d'avoine, les abricots séchés, les graines de citrouille et les amandes effilées.

3. Dans une casserole, mélanger le miel avec le beurre, le beurre d'arachide et la vanille. Chauffer à feu doux-moyen jusqu'aux premiers frémissements.

4. Verser la préparation au beurre d'arachide dans le bol. Bien mélanger.

5. Tapisser un moule carré de 20 cm (8 po) de papier parchemin, puis y répartir la préparation. Égaliser la surface à l'aide d'une spatule. Parsemer d'amandes entières, puis presser afin qu'elles pénètrent dans la préparation. Cuire au four de 10 à 12 minutes.

6. Retirer du four et laisser tiédir. Démouler et couper en 16 carrés.

PAR PORTION		
TENEUR		VQ*
Calories	283	-
Protéines	22 g	-
M.G.	19 g	-
Glucides	8 g	-
Fibres	2 g	7 %
Fer	3 mg	22 %
Calcium	194 mg	18 %
Sodium	550 mg	23 %

*VQ = valeur quotidienne

DIMANCHE DÎNER-BRUNCH

Omelette jambon-asperges

Total de l'assiette : 391 calories

PRÉPARATION **15 MINUTES** / CUISSON **20 MINUTES** / QUANTITÉ **4 PORTIONS**

- 8 œufs
- 80 ml (⅓ de tasse) de lait 2 %
- Sel et poivre au goût
- 16 à 20 asperges
- 10 ml (2 c. à thé) de beurre
- 8 tranches de jambon fumé
- 160 ml (⅔ de tasse) de cheddar fort râpé
- ½ oignon rouge émincé

1. Dans un bol, fouetter les œufs avec le lait. Saler et poivrer.

2. Dans une casserole d'eau bouillante salée, cuire les asperges de 3 à 4 minutes. Égoutter et refroidir sous l'eau froide.

3. Pendant ce temps, faire fondre un peu de beurre à feu moyen dans une poêle. Verser le quart du mélange d'œufs. Cuire de 3 à 4 minutes, jusqu'à ce que les œufs soient pris.

4. Déposer 2 tranches de jambon ainsi que le quart des asperges, du cheddar et de l'oignon rouge au centre de l'omelette, puis plier celle-ci en deux de manière à couvrir la garniture. Poursuivre la cuisson 2 minutes.

5. Répéter les étapes 3 et 4 pour former trois autres omelettes.

« J'ai fait cette recette, mais j'ai remplacé l'omelette par une crêpe protéinée (voir la recette à la page 68) que j'ai garnie du mélange jambon-asperges. Très bon pour le dîner ! »

– Caty

EN ACCOMPAGNEMENT

Salade de roquette, agrumes et fenouil

QUANTITÉ : 1 portion

PAR PORTION : 108 calories ; protéines 1 g ; matières grasses 7 g ; glucides 11 g ; fibres 2 g (7 % VQ) ; fer 1 mg (3 % VQ) ; calcium 46 mg (4 % VQ) ; sodium 19 mg (1 % VQ)
VQ = valeur quotidienne

Dans un saladier, mélanger 30 ml (2 c. à soupe) d'huile d'olive avec 30 ml (2 c. à soupe) de vinaigre balsamique blanc. Saler et poivrer. Ajouter ¼ d'oignon rouge émincé, ½ bulbe de fenouil émincé et les suprêmes de 1 orange. Remuer. Au moment de servir, ajouter 500 ml (2 tasses) de roquette et remuer.

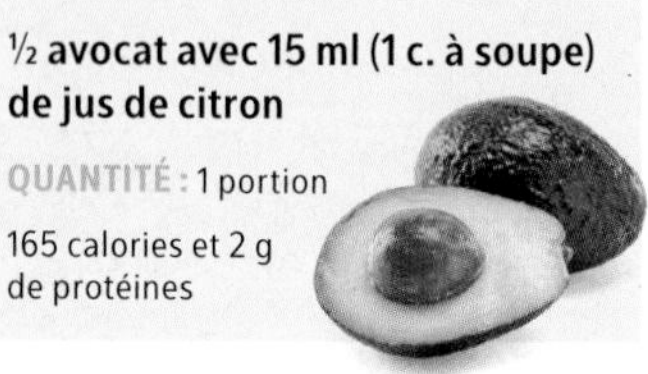

COLLATION DE L'APRÈS-MIDI

½ avocat avec 15 ml (1 c. à soupe) de jus de citron

QUANTITÉ : 1 portion

165 calories et 2 g de protéines

PAR PORTION avec garniture		
TENEUR		VQ*
Calories	310	-
Protéines	21 g	-
M.G.	11 g	-
Glucides	37 g	-
Fibres	9 g	37 %
Fer	5 mg	39 %
Calcium	217 mg	20 %
Sodium	621 mg	26 %

* VQ = valeur quotidienne

DIMANCHE SOUPER

Chili végétarien à la mijoteuse

PRÉPARATION **25 MINUTES** / CUISSON **6 HEURES** / QUANTITÉ **6 PORTIONS**

- 375 ml (1 ½ tasse) de sauce marinara
- 30 ml (2 c. à soupe) d'assaisonnements à chili
- 5 ml (1 c. à thé) de cumin
- 5 ml (1 c. à thé) d'origan séché
- 1,25 ml (¼ de c. à thé) de flocons de piment
- 1 oignon
- 3 poivrons de couleurs variées
- 2 branches de céleri
- 4 tomates italiennes
- 2 carottes
- 1 bloc de tofu ferme de 300 g
- 1 boîte de haricots rouges de 540 ml, rincés et égouttés

POUR LA GARNITURE :

- 375 ml (1 ½ tasse) de mélange de fromages râpés de type tex-mex
- 125 ml (½ tasse) de crème sure 14 %

1. Dans la mijoteuse, mélanger la sauce marinara avec les assaisonnements à chili, le cumin, l'origan et les flocons de piment.

2. Couper les légumes et le tofu en dés, puis déposer dans la mijoteuse. Ajouter les haricots et remuer.

3. Couvrir et cuire de 6 à 8 heures à faible intensité.

4. Au moment de servir, garnir de fromage et de crème sure.

PAR PORTION 1 bouchée		
TENEUR		VQ*
Calories	97	-
Protéines	2 g	-
M.G.	8 g	-
Glucides	5 g	-
Fibres	2 g	6 %
Fer	1 mg	3 %
Calcium	17 mg	2 %
Sodium	10 mg	0,4 %

*VQ = valeur quotidienne

DIMANCHE DESSERT

Délices croquants au chocolat noir et amandes

PRÉPARATION **5 MINUTES** / RÉFRIGÉRATION **5 MINUTES** / QUANTITÉ **12 BOUCHÉES**

- 170 g (environ ⅓ de lb) de chocolat noir 70 % coupé en morceaux
- 36 amandes

1. Faire fondre le chocolat au micro-ondes.

2. Sur une plaque de cuisson tapissée de papier parchemin, verser environ 15 ml (1 c. à soupe) de chocolat fondu par bouchée, en les espaçant, afin de former 12 bouchées.

3. Déposer aussitôt 3 amandes sur le dessus de chaque bouchée.

4. Réfrigérer de 5 à 10 minutes.

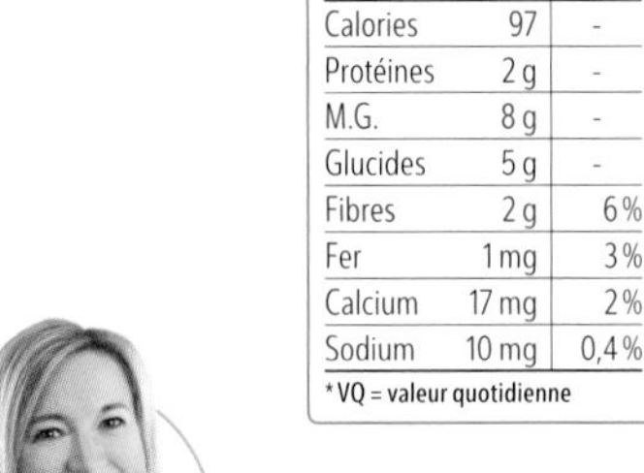

Remède miracle pour les rages de sucre ! Oui, oui, Charlotte est d'accord !

– Caty

Mon bilan de la semaine 1

Mon journal alimentaire

Au début de mon programme, Charlotte m'a invitée à noter tout ce que je mange et bois – même les collations – dans un journal alimentaire. Pourquoi ? Exercice de prise de conscience. Dans mon cas, ce n'est pas tant que je grignote : au contraire, j'ai tendance à placer mon corps en état de privation. Certains jours, il s'est écoulé jusqu'à sept heures entre mon repas du midi et celui du soir. Pourquoi ce n'est pas bon de passer plusieurs heures sans manger ?

« Notre corps a besoin d'énergie tout au long de la journée. Il est recommandé de manger un petit quelque chose aux 3 à 4 heures afin de maintenir ce niveau d'énergie et d'éviter que notre organisme réagisse négativement en diminuant son besoin d'énergie quotidien. Il est donc contreproductif de vouloir perdre du poids en se sous-alimentant. Lorsque vous avez faim, vous devez manger ! »

— Charlotte

Mardi, au lendemain du premier entraînement

« Ouille, ouille, ouille ! Je suis tellement courbaturée ce matin ! J'ai l'impression qu'un train m'est passé sur le corps ! Je ne serai jamais capable d'endurer ça pendant quatre semaines ! Je regrette presque de m'être engagée dans cette aventure… »

– Caty

ON MET **LA BALANCE** DE CÔTÉ !

J'ai l'habitude, depuis des années, de me peser chaque matin. C'est ma façon de contrôler ma prise de poids et de m'assurer que mes petits écarts n'ont pas trop de conséquences. Ici, on me recommande le contraire...

« Petit moment de désespoir... Je n'ai pas écouté Charlotte, je me suis pesée et je n'ai toujours pas perdu de poids, malgré tous mes efforts ! Quelle déception ! »

— Caty

*« **Il est normal de ne pas perdre de poids immédiatement** ou tous les jours. Avant de puiser dans ses réserves (de gras), l'organisme va utiliser les réserves d'énergie (glycogène) présentes dans les muscles et le foie. Ainsi, une réelle perte de poids peut prendre quelques jours avant de commencer. Il faut aussi savoir que le niveau d'hydratation peut influencer le chiffre que l'on voit sur la balance. Ainsi, je recommande de ne pas se peser plus d'une fois par semaine. »*

— Charlotte

« Gardez en tête que chaque corps réagit différemment à la perte de poids, selon l'âge, le sexe, le nombre de régimes effectués dans le passé, les hormones, les habitudes, etc.

Ce n'est pas parce que le poids total ne change pas que vous n'avez pas perdu de gras. Vous pouvez avoir gagné de la masse musculaire et de l'eau (½ lb) et avoir perdu du gras (½ lb) : le chiffre sur la balance demeure le même, mais votre composition corporelle a changé.

Si, en plus, vous avez mangé salé et vous avez bu de l'alcool la veille de la pesée, vous pouvez faire plus de rétention d'eau, ce qui peut contribuer à hausser le poids sur la balance, alors que vous avez réellement perdu ½ livre de gras. Le cycle menstruel a lui aussi une influence sur la rétention d'eau. Ne laissez donc pas la balance dicter votre niveau de motivation. »

— Karine

À retenir

« Le pèse-personne ne doit pas être votre seul outil de mesure (et de motivation !). Même si le chiffre affiché n'est pas celui souhaité, gardez en tête que votre santé bénéficiera toujours de vos choix sains. Alors, n'adoptez pas de saines habitudes simplement pour voir votre chiffre magique s'afficher sur le pèse-personne, faites-le d'abord et avant tout pour vous, et soyez fier de chaque choix santé effectué ! »

— Karine

Ma récompense de la semaine : **me faire masser**

Je l'avoue, je fais partie des nombreuses personnes qui se récompensent avec la nourriture. Si je veux des résultats à long terme, je le sais, il faut que je modifie ma relation avec la nourriture. Alors, pour garder la motivation, j'ai décidé de m'accorder d'autres petits plaisirs. Me faire masser fait partie de ma liste des plaisirs de la vie. En plus, cela a des bienfaits ! Ça améliore la circulation sanguine et le sommeil, entre autres, puis ça apaise.

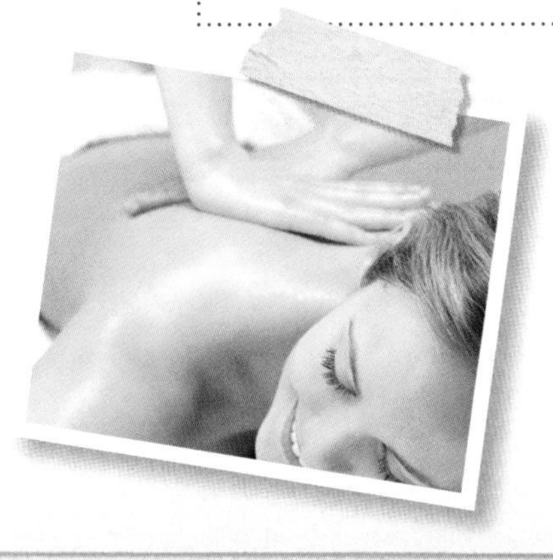

Entraînement semaine 2

CIRCUIT (25 MINUTES)

Il peut être difficile d'intégrer tout un circuit et de bien comprendre les exercices, sans compter que l'on doit laisser au corps le temps de s'habituer à sa nouvelle routine. On conserve donc les exercices de la semaine 1 pour la semaine 2, mais on en modifie quelques-uns pour progresser. On effectue le circuit en enchaînant les exercices les uns après les autres. On prend 1 minute de repos (en s'hydratant bien!), puis on répète le circuit. Bon entraînement!

Pour les exercices avec poids, utiliser des poids de 3 à 5 lb minimum.

Jours	Programme d'entraînement
Lundi	Jour de circuit
Mardi	Exercice cardiovasculaire au choix d'intensité faible à modérée - 30 minutes*
Mercredi	Jour de circuit
Jeudi	Repos actif (cumuler au moins 10 000 pas)
Vendredi	Jour de circuit
Samedi	Exercice cardiovasculaire au choix d'intensité faible à modérée - 30 minutes*
Dimanche	Repos actif (cumuler au moins 10 000 pas)

* Exemples: vélo, marche rapide, jogging léger, cours de groupe, DVD...

On s'échauffe!

Voir les exercices complets et les indications aux pages 32 à 34.

Grandes fentes latérales alternées

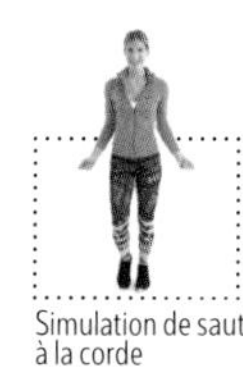

Simulation de saut à la corde

Genoux levés alternés (sans saut)

Talons aux fesses

Grandes fentes arrière alternées

1 *Squat* double et *military press* avec genou levé alterné

10 répétitions

MUSCLES CIBLÉS: jambes et épaules

POSITION DE DÉPART: debout, le dos droit, les jambes à la largeur des épaules, les bras levés, coudes fléchis à 90 degrés, un poids dans chaque main à la hauteur des oreilles.

- Fléchir les jambes en poussant les fesses vers l'arrière et s'arrêter lorsque les genoux forment un angle de 90 degrés.
- Revenir en position initiale en contractant les fesses. Refaire un *squat*, puis une fois de retour en position initiale, monter les bras dans les airs tout en levant un genou. Revenir en position initiale et poursuivre la séquence en alternant les genoux.

2

Sauts latéraux (patinage de vitesse)

30 secondes

POSITION DE DÉPART : debout, le dos droit, les jambes à la largeur des épaules, les bras le long du corps.

- Effectuer de grands sauts en voyageant latéralement d'un pied à l'autre. Fléchir le genou pour bien absorber l'impact au moment de l'atterrissage. Balancer les bras simultanément.

3

Pont et *fly* avec jambe soulevée

10 répétitions de chaque côté

MUSCLES CIBLÉS : fessiers et pectoraux

POSITION DE DÉPART : au sol, sur le dos, genoux fléchis, pieds au sol, bras en croix, un poids dans chaque main.

- Allonger une jambe en gardant les cuisses parallèles et soulever le bassin tout en déplaçant les poids dans les airs vis-à-vis de la poitrine. Les bras restent tendus et sont alignés avec les épaules. Ramener les bras en croix et poursuivre la séquence. Revenir en position initiale et répéter avec l'autre jambe.

4

Deux *jumping Jack* avec grand plié

15 répétitions

POSITION DE DÉPART : debout, pieds joints, corps droit, bras collés au torse, coudes pliés à 90 degrés.

- Sauter en écartant les pieds latéralement. Simultanément, lever les bras latéralement jusqu'à la hauteur des épaules, puis faire un saut pour revenir en position initiale.
- Sauter à nouveau en écartant les pieds latéralement et en levant les bras jusqu'à la hauteur des épaules, puis adopter la position du grand plié en fléchissant les genoux à un angle de 90 degrés et en ramenant les bras devant soi, coudes toujours pliés. Revenir en position initiale et poursuivre la séquence.

5

Push-up sur les genoux, rotation en planche latérale et extension du bras alternée

16 répétitions

MUSCLES CIBLÉS : pectoraux, bras et abdominaux

POSITION DE DÉPART : au sol, sur les genoux, jambes relevées à 90 degrés, dos droit, bras tendus en appui sur les poids tenus en mains.

- Baisser le haut du corps par flexion des bras et le remonter par extension des bras. Les jambes ne bougent pas et le nez frôle presque le sol. Revenir en position initiale.
- Effectuer une rotation du corps vers la droite pour adopter une position de planche latérale. Simultanément, lever le bras droit dans les airs jusqu'à ce qu'il soit en ligne avec le bras au sol. Les jambes se retrouvent fléchies vers l'arrière et l'appui se fait sur la jambe gauche et la main du même côté. Revenir en position initiale. Continuer la série en alternance.

6 Sauts latéraux (patinage de vitesse)

30 secondes

POSITION DE DÉPART: debout, le dos droit, les jambes à la largeur des épaules, les bras le long du corps.

- Effectuer de grands sauts en voyageant latéralement d'un pied à l'autre. Fléchir le genou pour bien absorber l'impact au moment de l'atterrissage. Balancer les bras simultanément.

7 *Crunch* jambes allongées à la verticale avec extension des bras

20 répétitions

MUSCLES CIBLÉS: abdominaux et triceps

POSITION DE DÉPART: au sol, sur le dos, jambes relevées à la verticale, coudes pliés de chaque côté de la tête, un poids dans chaque main.

- Déplier les bras à la verticale. À l'aide des abdominaux, soulever graduellement le haut de la colonne jusqu'à ce que les omoplates ne touchent plus le sol. Les jambes ne bougent pas et la tête suit le mouvement. Revenir à la position initiale et recommencer.

8

Jogging sur place talons aux fesses avec mouvements de bras

EXERCICE CARDIO

15 répétitions

POSITION DE DÉPART : debout, pieds écartés à la largeur des épaules, les coudes fléchis, un poids entre les mains (une extrémité dans chaque main) sous le menton.

▸ Jogger sur place en allant porter les talons sur les fesses. Simultanément, allonger les bras vers l'avant, les ramener vers la poitrine, puis les monter dans les airs au-dessus de la tête. Continuer de jogger sur place tout en enchaînant les mouvements avec les bras.

Fente arrière genou levé avec flexion des coudes

15 répétitions de chaque côté

MUSCLES CIBLÉS : jambes et biceps

POSITION DE DÉPART : debout, les pieds à la largeur des hanches, les bras le long du corps, un poids dans chaque main.

▸ Faire un grand pas derrière avec une jambe, puis descendre en fléchissant le genou avant à 90 degrés (le genou de la jambe avant doit être aligné avec la cheville).

▸ Déplacer la jambe de derrière vers l'avant en levant le genou jusqu'à un angle de 90 degrés. Simultanément, fléchir les coudes en portant les poids vers les épaules. Ramener la jambe derrière et les bras le long du corps. Terminer la série, puis faire de même de l'autre côté.

10

Sauts latéraux (patinage de vitesse)

30 secondes

POSITION DE DÉPART : debout, le dos droit, les jambes à la largeur des épaules, les bras le long du corps.

- Effectuer de grands sauts en voyageant latéralement d'un pied à l'autre. Fléchir le genou pour bien absorber l'impact au moment de l'atterrissage. Balancer les bras simultanément.

11

Planche latérale avec soulèvement de la jambe

15 répétitions de chaque côté

MUSCLES CIBLÉS : abdominaux

POSITION DE DÉPART : couché sur le côté en appui sur l'avant-bras, le coude directement sous l'épaule, la jambe au sol pliée vers l'arrière à 90 degrés, l'autre jambe droite et la main du même côté appuyée sur la hanche.

- Soulever le bassin en s'appuyant sur l'avant-bras qui est au sol et en contractant les abdominaux. Le tronc et la tête sont alignés avec les jambes.
- Lever la jambe du dessus jusqu'à la hauteur des épaules et la redescendre au sol. Déposer la hanche au sol. Compléter la série jusqu'à 15 répétitions et faire de même de l'autre côté.

12 *Jumping Jack* avec *punch* devant

16 répétitions

POSITION DE DÉPART : debout, le dos droit, les pieds joints, les coudes fléchis, mains sous le menton.

- Sauter en écartant les jambes latéralement et en montant les bras de manière dynamique jusqu'à ce qu'ils forment un X avec les jambes.
- Sauter immédiatement pour atterrir de côté pieds joints, bras en position initiale. Avancer la jambe de devant en sautant tout en donnant un coup de poing avec le bras avant. Poursuivre la séquence en alternance.

EXERCICE CARDIO

13 Bascule du bassin jambes fléchies avec extension des jambes

15 répétitions

MUSCLES CIBLÉS : abdominaux

POSITION DE DÉPART : sur le dos, genoux pliés à 90 degrés, bras tendus dans les airs, un poids entre les mains (une extrémité dans chaque paume).

- Avec un mouvement de bascule du bassin, tirer les genoux vers la poitrine, puis allonger complètement les jambes à la diagonale. Les bras restent en place.
- Revenir en position initiale et poursuivre la série.

14

Sauts latéraux (patinage de vitesse)

30 secondes

POSITION DE DÉPART : debout, le dos droit, les jambes à la largeur des épaules, les bras le long du corps.

- Effectuer de grands sauts en voyageant latéralement d'un pied à l'autre. Fléchir le genou pour bien absorber l'impact au moment de l'atterrissage. Balancer les bras simultanément.

15

Superman

16 répétitions

MUSCLES CIBLÉS : lombaires et dos

POSITION DE DÉPART : au sol, sur le ventre, jambes et bras écartés, front appuyé au sol.

- Contracter les fessiers, puis simultanément, soulever la tête, la jambe gauche et le bras droit.
- Revenir en position initiale. Poursuivre la séquence en alternance. Tout au long de l'exercice, la tête doit rester dans le prolongement de la colonne, les yeux rivés vers le sol.

On s'étire !

Voir les exercices complets et les indications aux pages 41 à 43.

Cobra

Chien tête baissée

Étirement des ischio-jambiers

Étirement des mollets

Étirement des fléchisseurs de la hanche

Étirement des fessiers

Coquille

Menu semaine 2

LUNDI
1377 CALORIES

DÉJEUNER
2 biscuits-déjeuner

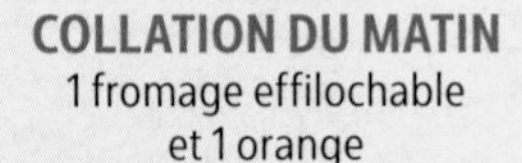

COLLATION DU MATIN
1 fromage effilochable et 1 orange

DÎNER
Salade de quinoa, edamames et tomates cerises

COLLATION DE L'APRÈS-MIDI
30 ml (2 c. à soupe) de houmous du commerce avec ½ concombre

SOUPER
Papillote de sole aux poireaux avec émincé de choux de Bruxelles

MARDI
1511 CALORIES

DÉJEUNER
Smoothie fruité au thé chaï

COLLATION DU MATIN
125 ml (½ tasse) de fromage cottage 1 % avec 125 ml (½ tasse) de framboises

DÎNER
Soupe aux lentilles corail + 1 petit contenant de yogourt grec à la vanille 0 % de 100 g

COLLATION DE L'APRÈS-MIDI
23 amandes entières

SOUPER
Poitrine de poulet à la grecque avec salade de roquette et garniture

MERCREDI
1668 CALORIES

DÉJEUNER
Déjeuner en pot au yogourt, bleuets et grenade

COLLATION DU MATIN
1 boule d'énergie aux canneberges

DÎNER
Couscous marocain au poulet et merguez

COLLATION DE L'APRÈS-MIDI
1 œuf cuit dur

SOUPER
Gratin de lentilles et champignons

JEUDI
1288 CALORIES

DÉJEUNER
Bagel avec tartinade à la ricotta et au citron

COLLATION DU MATIN
1 fromage effilochable et 1 pomme

DÎNER
Mini-pain de viande à la salsa

COLLATION DE L'APRÈS-MIDI
1 petit contenant de yogourt grec à la vanille 0 % de 100 g

SOUPER
Salade de crevettes nordiques en fleur de tortilla

VENDREDI

1556 CALORIES

DÉJEUNER
Parfait protéiné banane et kiwi

COLLATION DU MATIN
125 ml (½ tasse) de compote de pommes non sucrée

DÎNER
Wrap au tofu fumé façon Waldorf

COLLATION DE L'APRÈS-MIDI
23 amandes entières

SOUPER
Poutine santé aux pommes de terre et rutabaga

GÂTERIE DE SOIRÉE
Chips de chou kale

SAMEDI

1508 CALORIES

DÉJEUNER
Salade-déjeuner aux asperges, bacon et œufs

COLLATION DU MATIN
250 ml (1 tasse) de boisson de soya à la vanille et 30 ml (2 c. à soupe) de noix

DÎNER
Soupe réconfortante à la dinde et au riz

COLLATION DE L'APRÈS-MIDI
Trempette aux épinards et artichauts avec crudités

SOUPER
Fondue à la grecque avec salade grecque et 3 sauces (30 ml – 2 c. à soupe de chacune)

DESSERT
1 rocher croustillant au chocolat, canneberges et épices

DIMANCHE

1362 CALORIES

DÉJEUNER
Smoothie bleuets et mûres

COLLATION DU MATIN
1 boule d'énergie aux canneberges

DÎNER-BRUNCH
Cassolette de légumes façon brunch avec sauce cheddar et ciboulette

COLLATION DE L'APRÈS-MIDI
125 ml (½ tasse) de compote de pommes non sucrée

SOUPER
Cappellinis au saumon fumé, crevettes et roquette

PAR PORTION 2 biscuits		
TENEUR		VQ*
Calories	387	-
Protéines	13 g	-
M.G.	15 g	-
Glucides	46 g	-
Fibres	6 g	23 %
Fer	3 mg	23 %
Calcium	98 mg	9 %
Sodium	198 mg	8 %

* VQ = valeur quotidienne

LUNDI DÉJEUNER

Biscuits-déjeuner

PRÉPARATION **15 MINUTES** / CUISSON **18 MINUTES** / QUANTITÉ **8 BISCUITS**

- 500 ml (2 tasses) de flocons multigrains (de type La Milanaise)
- 250 ml (1 tasse) de farine
- 15 ml (1 c. à soupe) de poudre à pâte
- 5 ml (1 c. à thé) de cannelle
- 1,25 ml (¼ de c. à thé) de sel
- 2 œufs
- 60 ml (¼ de tasse) de sucre
- 60 ml (¼ de tasse) de sirop d'érable
- 125 ml (½ tasse) de yogourt grec nature 0 %
- 125 ml (½ tasse) de lait d'amandes
- 125 ml (½ tasse) de pacanes en morceaux
- 125 ml (½ tasse) de canneberges séchées
- 125 ml (½ tasse) de graines de citrouille

1. Préchauffer le four à 180 °C (350 °F).

2. Dans un grand bol, mélanger les flocons multigrains avec la farine, la poudre à pâte, la cannelle et le sel.

3. Dans un autre bol, fouetter les œufs avec le sucre et le sirop d'érable. Incorporer le yogourt et le lait d'amandes.

4. Incorporer graduellement le mélange d'ingrédients secs aux ingrédients liquides.

5. Ajouter les pacanes, les canneberges et les graines de citrouille. Remuer.

6. Sur une plaque de cuisson tapissée de papier parchemin, former huit biscuits avec la préparation.

7. Cuire au four de 18 à 20 minutes.

8. Retirer du four et laisser tiédir sur une grille.

COLLATION DU MATIN

1 fromage effilochable (de type Ficello) et 1 orange

QUANTITÉ : 1 portion

132 calories et 6 g de protéines

PAR PORTION		
TENEUR		VQ*
Calories	454	-
Protéines	20 g	-
M.G.	27 g	-
Glucides	37 g	-
Fibres	8 g	34 %
Fer	4 mg	27 %
Calcium	182 mg	17 %
Sodium	187 mg	8 %

* VQ = valeur quotidienne

LUNDI DÎNER

Salade de quinoa, edamames et tomates cerises

PRÉPARATION **15 MINUTES** / CUISSON **12 MINUTES** / QUANTITÉ **4 PORTIONS**

- 125 ml (½ tasse) de quinoa, rincé et égoutté
- 660 ml (2 ⅔ tasses) d'edamames surgelés
- 18 tomates cerises de couleurs variées coupées en quartiers
- 375 ml (1 ½ tasse) de chou rouge émincé finement
- 3 oignons verts émincés
- 125 ml (½ tasse) de perles de bocconcini
- Sel et poivre au goût

POUR LA VINAIGRETTE :

- 60 ml (¼ de tasse) d'huile de sésame (non grillé)
- 30 ml (2 c. à soupe) de coriandre hachée
- 30 ml (2 c. à soupe) de jus de lime
- 15 ml (1 c. à soupe) de miel
- 15 ml (1 c. à soupe) de miso
- 15 ml (1 c. à soupe) de gingembre haché
- 1 piment thaï haché
- Sel au goût

1. Dans une casserole, déposer le quinoa avec 250 ml (1 tasse) d'eau. Porter à ébullition, puis couvrir et cuire à feu doux de 12 à 15 minutes, jusqu'à absorption complète de l'eau. Retirer du feu et laisser tiédir.

2. Pendant ce temps, cuire les edamames de 3 à 5 minutes dans une casserole d'eau bouillante salée. Refroidir sous l'eau très froide et égoutter.

3. Dans un saladier, fouetter les ingrédients de la vinaigrette.

4. Ajouter les edamames, le quinoa, les tomates cerises, le chou rouge, les oignons verts et les perles de bocconcini dans le saladier. Saler, poivrer et remuer.

COLLATION DE L'APRÈS-MIDI

30 ml (2 c. à soupe) de houmous du commerce avec ½ concombre

QUANTITÉ : 1 portion

75 calories et 2 g de protéines

Pour une collation plus rassasiante, j'ajoute au houmous 5 ml (1 c. à thé) de graines de chia !
— Charlotte

PAR PORTION		
TENEUR		VQ*
Calories	202	-
Protéines	24 g	-
M.G.	7 g	-
Glucides	11 g	-
Fibres	2 g	8 %
Fer	1 mg	10 %
Calcium	75 mg	7 %
Sodium	277 mg	12 %

* VQ = valeur quotidienne

LUNDI SOUPER

Total de l'assiette : 329 calories

Papillotes de sole aux poireaux

PRÉPARATION **15 MINUTES** / CUISSON **18 MINUTES** / QUANTITÉ **6 PORTIONS**

- 720 g (environ 1 ⅔ lb) de filets de sole
- Sel et poivre au goût
- 250 ml (1 tasse) de sauce rosée
- 30 ml (2 c. à soupe) de jus de citron
- 1 sac de poireaux tranchés de 250 g ou 2 blancs de poireaux émincés
- 15 ml (1 c. à soupe) d'huile d'olive
- 45 ml (3 c. à soupe) d'aneth haché
- 1 citron coupé en huit tranches

1. Préchauffer le four à 205 °C (400 °F).

2. Déposer six feuilles de papier d'aluminium sur le plan de travail. Rouler les filets de sole et les répartir au centre de chacune des feuilles. Saler et poivrer.

3. Verser la sauce rosée et le jus de citron sur les filets. Répartir les poireaux sur les filets et napper d'huile d'olive. Parsemer d'aneth et couvrir de tranches de citron.

4. Replier les feuilles de papier d'aluminium afin de former des papillotes hermétiques. Cuire au four de 18 à 20 minutes, jusqu'à ce que les papillotes soient gonflées.

« Très bon ! La papillote est très pratique ! L'accompagnement de choux de Bruxelles est très goûteux avec le fromage bleu. Nous avons adoré (la tranche de bacon a particulièrement plu à mon homme) ! »

— Caty

EN ACCOMPAGNEMENT

Émincé de choux de Bruxelles en salade

QUANTITÉ : 6 portions

PAR PORTION : 127 calories ; protéines 6 g ; matières grasses 10 g ; glucides 4 g ; fibres 1 g (5 % VQ) ; fer 0,6 mg (5 % VQ) ; calcium 104 mg (10 % VQ) ; sodium 288 mg (12 % VQ)
VQ = valeur quotidienne

Dans un saladier, mélanger 60 ml (¼ de tasse) d'huile d'olive avec 15 ml (1 c. à soupe) de vinaigre de cidre, 1 échalote sèche (française) hachée et 45 ml (3 c. à soupe) de persil haché. Saler et poivrer. Ajouter 8 choux de Bruxelles émincés finement, 80 ml (⅓ de tasse) de bacon cuit haché, 60 ml (¼ de tasse) de noix de Grenoble en morceaux et 100 g (3 ½ oz) de fromage bleu émietté. Remuer.

PAR PORTION		
TENEUR		VQ*
Calories	360	-
Protéines	20 g	-
M.G.	11 g	-
Glucides	46 g	-
Fibres	7 g	26 %
Fer	1 mg	7 %
Calcium	512 mg	47 %
Sodium	144 mg	6 %

* VQ = valeur quotidienne

MARDI DÉJEUNER

Smoothie fruité au thé chaï

PRÉPARATION **10 MINUTES** / QUANTITÉ **2 PORTIONS**

- 250 ml (1 tasse) de boisson de soya à la vanille
- 1 sachet de thé chaï
- 310 ml (1 ¼ tasse) de yogourt grec à la vanille 0 %
- 250 ml (1 tasse) de mangue coupée en dés
- 30 ml (2 c. à soupe) de beurre d'amande
- 1 poire pelée

1. Dans un bol, verser la boisson de soya. Chauffer de 45 secondes à 1 minute au micro-ondes.

2. Laisser infuser le sachet de thé dans la boisson de soya chaude 5 minutes. Retirer le sachet de thé et laisser tiédir.

3. Déposer la boisson de soya infusée, le yogourt, les dés de mangue, le beurre d'amande et la poire dans le contenant du mélangeur. Émulsionner de 30 secondes à 1 minute, jusqu'à l'obtention d'une texture homogène.

4. Si le smoothie est trop liquide, ajouter un peu de yogourt grec. S'il n'est pas assez liquide, ajouter un peu de boisson de soya.

COLLATION DU MATIN

125 ml (½ tasse) de fromage cottage 1 % et 125 ml (½ tasse) de framboises

QUANTITÉ : 1 portion

134 calories et 14 g de protéines

PAR PORTION		
TENEUR		VQ*
Calories	307	-
Protéines	15 g	-
M.G.	10 g	-
Glucides	41 g	-
Fibres	7 g	28 %
Fer	6 mg	42 %
Calcium	73 mg	7 %
Sodium	184 mg	8 %

*VQ = valeur quotidienne

MARDI DÎNER

Soupe aux lentilles corail

PRÉPARATION **15 MINUTES** / CUISSON **25 MINUTES** / QUANTITÉ **6 PORTIONS**

- 30 ml (2 c. à soupe) d'huile de sésame (non grillé)
- 1 oignon haché
- 1 carotte hachée
- 2 gousses d'ail hachées
- 30 ml (2 c. à soupe) de gingembre haché
- 5 ml (1 c. à thé) de curcuma
- 30 ml (2 c. à soupe) de cari
- 2 feuilles de lime kaffir (facultatif)
- 375 ml (1 ½ tasse) de lentilles rouges ou corail sèches
- 1 boîte de lait de coco léger de 400 ml
- 500 ml (2 tasses) de bouillon de légumes sans sel ajouté
- 1 boîte de tomates en dés de 540 ml
- Sel et poivre au goût
- 30 ml (2 c. à soupe) de feuilles de coriandre

1. Dans une casserole, chauffer l'huile à feu moyen. Cuire l'oignon, la carotte, l'ail et le gingembre de 1 à 2 minutes.

2. Ajouter le curcuma, le cari et, si désiré, les feuilles de lime kaffir. Cuire 30 secondes jusqu'à ce que les arômes se libèrent.

3. Ajouter les lentilles, le lait de coco, le bouillon de légumes et les tomates en dés. Saler et poivrer. Porter à ébullition, puis laisser mijoter à feu doux-moyen de 25 à 30 minutes.

4. Au moment de servir, parsemer de feuilles de coriandre.

COLLATION DE L'APRÈS-MIDI

23 amandes entières

QUANTITÉ : 1 portion

160 calories et 6 g de protéines

PETIT DESSERT

1 petit contenant de yogourt grec à la vanille 0 % de 100 g

QUANTITÉ : 1 portion

75 calories et 9 g de protéines

PAR PORTION		
TENEUR		VQ*
Calories	279	-
Protéines	28 g	-
M.G.	16 g	-
Glucides	6 g	-
Fibres	1 g	2 %
Fer	1 mg	8 %
Calcium	23 mg	2 %
Sodium	69 mg	3 %

*VQ = valeur quotidienne

MARDI SOUPER

Total de l'assiette : 475 calories

Poitrines de poulet à la grecque

PRÉPARATION **15 MINUTES** / MARINAGE **1 HEURE** / CUISSON **12 MINUTES** / QUANTITÉ **4 PORTIONS**

- 60 ml (¼ de tasse) d'huile d'olive
- 30 ml (2 c. à soupe) de jus de citron
- 30 ml (2 c. à soupe) de menthe hachée
- 15 ml (1 c. à soupe) de zestes de citron
- 15 ml (1 c. à soupe) d'origan haché
- 15 ml (1 c. à soupe) de miel
- 10 ml (2 c. à thé) d'ail haché
- 4 poitrines de poulet sans peau

1. Dans un bol, mélanger tous les ingrédients, à l'exception du poulet.

2. Transférer le tiers de la préparation dans un sac hermétique. Réserver le reste de la préparation. Ajouter les poitrines de poulet dans le sac et secouer pour bien enrober le poulet de marinade. Retirer l'air du sac et sceller. Laisser mariner 1 heure au frais, idéalement 8 heures.

3. Dans un saladier, mélanger délicatement les ingrédients de la garniture à la grecque (voir la recette ci-dessous) avec la marinade réservée. Réserver au frais.

4. Au moment de la cuisson, préchauffer le four à 205 °C (400 °F).

5. Égoutter le poulet et jeter la marinade. Déposer les poitrines sur une plaque de cuisson tapissée de papier parchemin. Cuire au four de 12 à 15 minutes en retournant les poitrines à mi-cuisson, jusqu'à ce que l'intérieur de la chair du poulet ait perdu sa teinte rosée.

6. Servir les poitrines avec la garniture à la grecque.

EN ACCOMPAGNEMENT

Garniture à la grecque

QUANTITÉ : 4 portions

PAR PORTION : 97 calories ; protéines 4 g ; matières grasses 7 g ; glucides 5 g ; fibres 1 g (4 % VQ) ; fer 0,4 mg (3 % VQ) ; calcium 132 mg (12 % VQ) ; sodium 343 mg (23 % VQ)
VQ = valeur quotidienne

Mélanger le contenu de ½ contenant de feta de 200 g émiettée avec 16 tomates cerises coupées en deux, 60 ml (¼ de tasse) d'olives noires et ¼ d'oignon rouge émincé.

Salade de roquette

QUANTITÉ : 4 portions

PAR PORTION : 99 calories ; protéines 0 g ; matières grasses 9 g ; glucides 3 g ; fibres 0,2 g (1 % VQ) ; fer 0,4 mg (3 % VQ) ; calcium 29 mg (3 % VQ) ; sodium 8 mg (0,3 % VQ)
VQ = valeur quotidienne

Dans un saladier, mélanger 180 ml (¾ de tasse) de roquette avec 10 ml (2 c. à thé) d'huile d'olive et 15 ml (1 c. à soupe) de vinaigre balsamique. Saler et poivrer.

MERCREDI DÉJEUNER

Déjeuner en pot au yogourt, bleuets et grenade

PRÉPARATION **10 MINUTES** / QUANTITÉ **2 PORTIONS**

PAR PORTION		
TENEUR		**VQ***
Calories	453	-
Protéines	17 g	-
M.G.	13 g	-
Glucides	74 g	-
Fibres	9 g	37 %
Fer	1 mg	6 %
Calcium	420 mg	39 %
Sodium	137 mg	6 %

* VQ = valeur quotidienne

- 180 ml (¾ de tasse) de granola aux amandes
- 125 ml (½ tasse) de bleuets
- 250 ml (1 tasse) de yogourt grec à la vanille 2 %
- 30 ml (2 c. à soupe) de graines de chia
- 125 ml (½ tasse) de grains de grenade
- 60 ml (¼ de tasse) de sucre d'érable
- 250 ml (1 tasse) de lait d'amandes

1. Dans deux pots Mason ou contenants d'une capacité de 500 ml (2 tasses) chacun, répartir le granola, les bleuets, le yogourt grec, les graines de chia, les grains de grenade et le sucre d'érable en couches successives et dans cet ordre. Fermer les pots.

2. Au moment de servir, ajouter le lait d'amandes, puis mélanger.

Se trimballe bien dans la boîte à lunch pour manger au travail.

PAR PORTION 1 boule		
TENEUR		VQ*
Calories	178	-
Protéines	5 g	-
M.G.	12 g	-
Glucides	15 g	-
Fibres	2 g	9 %
Fer	1 mg	7 %
Calcium	16 mg	2 %
Sodium	3 mg	0,1 %

*VQ = valeur quotidienne

MERCREDI **COLLATION DU MATIN**

Boules d'énergie aux canneberges

PRÉPARATION **15 MINUTES** / RÉFRIGÉRATION **1 HEURE** / QUANTITÉ **12 BOULES**

- 125 ml (½ tasse) de dattes (medjool de préférence) dénoyautées
- 125 ml (½ tasse) de beurre de noix de cajou
- 5 ml (1 c. à thé) de vanille
- 250 ml (1 tasse) de poudre d'amandes
- 80 ml (⅓ de tasse) de canneberges séchées hachées
- 80 ml (⅓ de tasse) de noix de cajou hachées

1. Dans le contenant du robot culinaire, déposer les dattes, le beurre de noix de cajou, la vanille et la poudre d'amandes. Mélanger jusqu'à l'obtention d'une pâte.

2. Transférer la préparation dans un bol, puis ajouter les canneberges et les noix de cajou. Remuer.

3. Façonner 12 boules en utilisant environ 30 ml (2 c. à soupe) de préparation pour chacune d'elles.

4. Déposer les boules sur une plaque de cuisson tapissée de papier parchemin. Réfrigérer de 1 à 2 heures avant de servir.

PAR PORTION		
TENEUR		VQ*
Calories	450	-
Protéines	25 g	-
M.G.	13 g	-
Glucides	58 g	-
Fibres	6 g	26 %
Fer	3 mg	24 %
Calcium	79 mg	7 %
Sodium	432 mg	18 %

* VQ = valeur quotidienne

MERCREDI DÎNER

Couscous marocain au poulet et merguez

PRÉPARATION **25 MINUTES** / CUISSON **25 MINUTES** / QUANTITÉ **8 PORTIONS**

- 15 ml (1 c. à soupe) d'huile d'olive
- 1 oignon haché
- 10 ml (2 c. à thé) d'ail haché
- 500 ml (2 tasses) de bouillon de poulet
- 250 g (environ ½ lb) de poitrines de poulet sans peau coupées en cubes
- 3 demi-poivrons de couleurs variées coupés en cubes
- 2 carottes émincées
- 2 tomates coupées en cubes
- 15 ml (1 c. à soupe) de harissa
- 1 courgette coupée en demi-rondelles
- 1 boîte de pois chiches de 540 ml, rincés et égouttés
- 15 ml (1 c. à soupe) de ras-el-hanout ou d'épices à couscous
- 8 merguez émincées
- 500 ml (2 tasses) d'eau bouillante
- 500 ml (2 tasses) de couscous
- 30 ml (2 c. à soupe) de feuilles d'origan

1. Dans une casserole, chauffer l'huile d'olive à feu moyen. Cuire l'oignon et l'ail 1 minute.

2. Ajouter le bouillon, les cubes de poulet, les poivrons, les carottes, les tomates et la harissa. Porter à ébullition, puis cuire de 15 à 18 minutes à feu doux-moyen.

3. Ajouter la courgette, les pois chiches et les épices. Remuer et prolonger la cuisson de 10 minutes.

4. Chauffer une poêle à feu moyen et cuire les merguez de 10 à 12 minutes. Incorporer à la préparation au poulet.

5. Pendant ce temps, verser l'eau bouillante sur le couscous dans un bol. Couvrir et laisser gonfler 5 minutes. Égrainer le couscous avec une fourchette.

6. Répartir le couscous dans les assiettes, puis garnir de légumes et de viande. Parsemer de feuilles d'origan.

COLLATION DE L'APRÈS-MIDI

1 œuf cuit dur

QUANTITÉ : 1 portion

71 calories et 6 g de protéines

PAR PORTION		
TENEUR		VQ*
Calories	516	-
Protéines	30 g	-
M.G.	22 g	-
Glucides	54 g	-
Fibres	10 g	42 %
Fer	6 mg	42 %
Calcium	168 mg	15 %
Sodium	545 mg	23 %

* VQ = valeur quotidienne

MERCREDI SOUPER

Gratin de lentilles et champignons

PRÉPARATION **30 MINUTES** / CUISSON **15 MINUTES** / QUANTITÉ **4 PORTIONS**

- 45 ml (3 c. à soupe) d'huile d'olive
- 1 oignon haché
- 15 ml (1 c. à soupe) d'ail haché
- 1 carotte coupée en dés
- 1 branche de céleri coupée en dés
- 2 panais coupés en dés
- 15 ml (1 c. à soupe) de cari
- 250 ml (1 tasse) de lentilles rouges ou corail sèches
- 500 ml (2 tasses) de bouillon de poulet faible en sodium
- Sel et poivre du moulin au goût
- 1 brocoli coupé en petits bouquets
- 2 contenants de champignons au choix de 227 g chacun, émincés
- 80 ml (⅓ de tasse) d'échalotes sèches (françaises) émincées
- 15 ml (1 c. à soupe) d'estragon haché
- 60 ml (¼ de tasse) de persil haché
- 375 ml (1 ½ tasse) de fromage fumé râpé (de type Le Calumet)

1. Dans une casserole, chauffer la moitié de l'huile à feu moyen. Cuire l'oignon, l'ail, la carotte, le céleri et les panais de 3 à 4 minutes.

2. Ajouter le cari et cuire 30 secondes jusqu'à ce que les arômes se libèrent.

3. Ajouter les lentilles et le bouillon. Saler et poivrer. Porter à ébullition, puis laisser mijoter 6 minutes à feu doux-moyen.

4. Ajouter le brocoli et prolonger la cuisson de 2 minutes.

5. Préchauffer le four à 190 °C (375 °F).

6. Dans une poêle, chauffer le reste de l'huile à feu moyen. Cuire les champignons et les échalotes 3 minutes.

7. Ajouter l'estragon et le persil. Saler et poivrer.

8. Verser la préparation aux lentilles dans un plat de cuisson. Couvrir des champignons, puis de fromage. Cuire au four de 15 à 18 minutes.

PAR PORTION ½ bagel		
TENEUR		VQ*
Calories	450	-
Protéines	18 g	-
M.G.	20 g	-
Glucides	55 g	-
Fibres	6 g	24 %
Fer	2 mg	15 %
Calcium	337 mg	31 %
Sodium	344 mg	14 %

*VQ = valeur quotidienne

JEUDI **DÉJEUNER**

Bagel avec tartinade à la ricotta et au citron

PRÉPARATION **10 MINUTES** / QUANTITÉ **4 PORTIONS**

- 2 bagels de blé entier
- 375 ml (1 ½ tasse) de ricotta légère 5 %
- 45 ml (3 c. à soupe) de miel
- 30 ml (2 c. à soupe) de zestes de citron
- 2 poires
- 125 ml (½ tasse) de noix de Grenoble hachées grossièrement

1. Faire griller les bagels au grille-pain.

2. Dans un bol, mélanger la ricotta avec le miel et les zestes, puis en tartiner les bagels.

3. Trancher les poires, puis déposer les tranches sur les bagels tartinés.

4. Garnir de noix.

COLLATION DU MATIN

1 fromage effilochable (de type Ficello) et 1 pomme

QUANTITÉ : 1 portion

142 calories et 5 g de protéines

PAR PORTION		
TENEUR		VQ*
Calories	270	-
Protéines	27 g	-
M.G.	11 g	-
Glucides	14 g	-
Fibres	2 g	9 %
Fer	3 mg	22 %
Calcium	28 mg	3 %
Sodium	467 mg	20 %

*VQ = valeur quotidienne

JEUDI DÎNER

Mini-pains de viande à la salsa

PRÉPARATION **15 MINUTES** / CUISSON **27 MINUTES** / QUANTITÉ **4 PORTIONS**

- 1 œuf
- 125 ml (½ tasse) de flocons d'avoine
- 450 g (1 lb) de bœuf haché extra-maigre
- 125 ml (½ tasse) de salsa
- 30 ml (2 c. à soupe) de sauce chili
- Sel et poivre au goût
- 30 ml (2 c. à soupe) de ketchup

1. Préchauffer le four à 205 °C (400 °F).

2. Dans un bol, mélanger l'œuf avec les flocons d'avoine, le bœuf haché, la moitié de la salsa et la sauce chili. Saler et poivrer.

3. Façonner quatre galettes avec la préparation et déposer sur une plaque de cuisson tapissée d'une feuille de papier parchemin. Cuire au four 15 minutes.

4. Pendant ce temps, mélanger le reste de la salsa avec le ketchup.

5. Retirer les galettes du four. Étendre la préparation au ketchup sur les galettes. Prolonger la cuisson au four de 12 à 15 minutes, jusqu'à ce que l'intérieur des mini-pains de viande ait perdu sa teinte rosée.

COLLATION DE L'APRÈS-MIDI

1 petit contenant de yogourt grec à la vanille 0 % de 100 g

QUANTITÉ : 1 portion

75 calories et 9 g de protéines

PAR PORTION		
TENEUR		VQ*
Calories	351	-
Protéines	17 g	-
M.G.	19 g	-
Glucides	34 g	-
Fibres	8 g	31 %
Fer	2 mg	15 %
Calcium	34 mg	3 %
Sodium	835 mg	35 %

* VQ = valeur quotidienne

JEUDI SOUPER

Salade de crevettes nordiques en fleur de tortilla

PRÉPARATION **25 MINUTES** / CUISSON **10 MINUTES** / QUANTITÉ **4 PORTIONS**

- 4 grandes tortillas de blé entier de 25 cm (10 po)
- 45 ml (3 c. à soupe) d'huile d'olive
- 30 ml (2 c. à soupe) de jus de lime
- 30 ml (2 c. à soupe) de coriandre hachée
- ½ jalapeño épépiné et haché (facultatif)
- 1 avocat
- 1 poivron rouge
- ½ oignon rouge
- 16 tomates raisins
- 125 ml (½ tasse) de maïs en grains
- 250 g (416 ml) de crevettes nordiques

1. Préchauffer le four à 180 °C (350 °F).

2. Badigeonner les deux côtés des tortillas avec 15 ml (1 c. à soupe) d'huile. Déposer chacune des tortillas dans un bol allant au four de 10 cm (4 po) de diamètre et faire onduler le rebord à l'aide des doigts. Faire dorer au four de 10 à 12 minutes. Retirer du four, démouler et laisser tiédir sur une grille.

3. Dans un bol, mélanger le reste de l'huile avec le jus de lime, la coriandre et, si désiré, le jalapeño.

4. Tailler l'avocat, le poivron et l'oignon rouge en dés. Couper les tomates raisins en deux. Déposer dans le bol.

5. Incorporer le maïs et les crevettes. Répartir la salade dans les bols en tortillas. Servir immédiatement.

J'aime cette salade ! Le bol en tortilla : c'est tellement bon ! Je fais en plus des tortillas grillées en morceaux et les enfants mangent cela en collation. Ils ont l'impression de manger des chips !

— Caty

PAR PORTION		
TENEUR		VQ*
Calories	342	-
Protéines	23 g	-
M.G.	12 g	-
Glucides	41 g	-
Fibres	6 g	25 %
Fer	2 mg	16 %
Calcium	433 mg	39 %
Sodium	65 mg	3 %

*VQ = valeur quotidienne

VENDREDI DÉJEUNER

Parfait protéiné banane et kiwi

PRÉPARATION **10 MINUTES** / QUANTITÉ **1 PORTION**

- ½ banane
- ½ kiwi
- 175 ml (environ ¾ de tasse) de yogourt grec à la vanille 0 %
- 15 ml (1 c. à soupe) de graines de lin moulues
- 30 ml (2 c. à soupe) de graines de citrouille

1. Trancher la banane et tailler le kiwi en dés.

2. Dans un bol, mélanger le yogourt avec les graines de lin.

3. Déposer le tiers du yogourt dans un contenant. Couvrir du tiers des tranches de banane et du tiers des dés de kiwi. Garnir du tiers des graines de citrouille.

4. Répéter l'étape 3 deux fois afin de former trois étages.

COLLATION DU MATIN

125 ml (½ tasse) de compote de pommes non sucrée

QUANTITÉ : 1 portion

54 calories et 0 g de protéines

PAR PORTION		
TENEUR		VQ*
Calories	436	-
Protéines	20 g	-
M.G.	21 g	-
Glucides	46 g	-
Fibres	6 g	23 %
Fer	3 mg	18 %
Calcium	340 mg	31 %
Sodium	803 mg	34 %

* VQ = valeur quotidienne

VENDREDI **DÎNER**

Wrap au tofu fumé façon Waldorf

PRÉPARATION **20 MINUTES** / QUANTITÉ **4 PORTIONS**

- 2 pommes vertes coupées en dés
- 125 ml (½ tasse) de noix de Grenoble hachées
- 45 ml (3 c. à soupe) de canneberges séchées
- 5 feuilles de laitue romaine déchiquetées
- ½ oignon rouge émincé
- 1 paquet de tofu fumé de 210 g coupé en dés
- Sel et poivre au goût
- 4 tortillas de blé entier moyennes de 18 cm (7 po)

POUR LA VINAIGRETTE :

- 180 ml (¾ de tasse) de yogourt nature 0 %
- 60 ml (¼ de tasse) de fromage bleu (de type Bleu Bénédictin) émietté
- 45 ml (3 c. à soupe) de moutarde à l'ancienne
- 30 ml (2 c. à soupe) de miel
- Sel et poivre du moulin au goût

1. Dans un bol, mélanger les ingrédients de la vinaigrette.

2. Ajouter les pommes, les noix de Grenoble, les canneberges, la laitue romaine, l'oignon rouge et le tofu fumé dans le bol. Saler et poivrer, puis remuer.

3. Répartir la garniture sur les tortillas, puis les rouler. Fixer les wraps à l'aide de cure-dents.

COLLATION DE L'APRÈS-MIDI

23 amandes entières

QUANTITÉ : 1 portion

160 calories et 6 g de protéines

VENDREDI SOUPER

Poutine santé aux pommes de terre et rutabaga

PRÉPARATION **30 MINUTES** / CUISSON **18 MINUTES** / QUANTITÉ **4 PORTIONS**

PAR PORTION		
TENEUR		VQ*
Calories	437	-
Protéines	28 g	-
M.G.	23 g	-
Glucides	25 g	-
Fibres	2 g	9 %
Fer	1 mg	8 %
Calcium	277 mg	25 %
Sodium	505 mg	21 %

* VQ = valeur quotidienne

- 3 pommes de terre Yukon Gold
- ½ petit rutabaga
- 15 ml (1 c. à soupe) d'huile d'olive
- Sel et poivre au goût
- 150 g (⅓ de lb) de fromage en grains
- 100 g (3 ½ oz) de cheddar réduit en matières grasses 18 % coupé en dés
- ½ oignon rouge coupé en fines rondelles

POUR LA SAUCE :

- 15 ml (1 c. à soupe) de beurre
- 80 ml (⅓ de tasse) d'échalotes sèches (françaises) hachées
- 1 carotte hachée
- 1 branche de céleri hachée
- 30 ml (2 c. à soupe) de farine
- 500 ml (2 tasses) de fond de veau
- 80 ml (⅓ de tasse) de vin blanc
- 1 tige de thym

1. Préchauffer le four à 205 °C (400 °F).

2. Peler, puis couper en bâtonnets les pommes de terre et le rutabaga. Déposer les bâtonnets dans un grand bol. Ajouter l'huile. Saler, poivrer et remuer.

3. Sur une plaque de cuisson tapissée d'une feuille de papier parchemin, déposer les bâtonnets, sans les superposer. Cuire au four de 18 à 20 minutes.

4. Pendant ce temps, faire fondre le beurre à feu moyen dans une casserole. Cuire les échalotes de 1 à 2 minutes en remuant.

5. Ajouter la carotte et le céleri dans la casserole. Cuire 1 minute, puis saupoudrer de farine. Remuer. Ajouter le reste des ingrédients de la sauce. Laisser mijoter 15 minutes à feu doux-moyen.

6. Filtrer la sauce à l'aide d'une passoire fine. Remettre la sauce dans la casserole et chauffer à feu doux.

7. Répartir les frites dans des assiettes creuses. Garnir de fromage en grains, de cheddar, d'oignon rouge et de sauce chaude.

« Yéééé, de la poutine ! Toute la famille a sauté de joie ! »
— Caty

PAR PORTION		
TENEUR		VQ*
Calories	127	-
Protéines	2 g	-
M.G.	12 g	-
Glucides	5 g	-
Fibres	2 g	6 %
Fer	1 mg	7 %
Calcium	46 mg	4 %
Sodium	217 mg	9 %

*VQ = valeur quotidienne

VENDREDI GÂTERIE DE SOIRÉE

Chips de chou kale au parfum d'Asie

PRÉPARATION **15 MINUTES** / CUISSON **15 MINUTES** / QUANTITÉ **8 PORTIONS**

- ½ botte de chou kale
- 80 ml (⅓ de tasse) d'huile de sésame (non grillé)
- 45 ml (3 c. à soupe) de gingembre haché
- 45 ml (3 c. à soupe) de zestes de lime
- 45 ml (3 c. à soupe) de sauce soya réduite en sodium
- 45 ml (3 c. à soupe) de graines de sésame
- 1 piment thaï haché

1. Préchauffer le four à 150 °C (300 °F).

2. Laver et essorer les feuilles de chou kale, puis les éponger avec un linge. Tailler les feuilles en lanières.

3. Dans un bol, mélanger tous les ingrédients, à l'exception du chou kale.

4. Ajouter le chou kale et remuer afin de bien l'enrober de sauce. Étaler les feuilles de chou kale sur une ou deux plaques de cuisson tapissées de papier parchemin, sans les superposer. Cuire au four de 15 à 20 minutes, en retirant les feuilles du four au fur et à mesure qu'elles sont croustillantes.

PAR PORTION		
TENEUR		VQ*
Calories	234	-
Protéines	17 g	-
M.G.	17 g	-
Glucides	4 g	-
Fibres	1 g	6 %
Fer	3 mg	20 %
Calcium	65 mg	6 %
Sodium	335 mg	14 %

* VQ = valeur quotidienne

SAMEDI **DÉJEUNER**

Salade-déjeuner aux asperges, bacon et œufs

PRÉPARATION **15 MINUTES** / CUISSON **3 MINUTES** / QUANTITÉ **4 PORTIONS**

- 16 asperges
- 8 tranches de bacon précuit émiettées
- 8 œufs
- 30 ml (2 c. à soupe) de ciboulette hachée
- 60 ml (¼ de tasse) de tomates coupées en dés
- Sel et poivre au goût
- 15 ml (1 c. à soupe) de beurre

1. Dans une casserole d'eau bouillante salée, blanchir les asperges 2 minutes. Égoutter. Refroidir sous l'eau froide et égoutter de nouveau.

2. Réchauffer le bacon au micro-ondes selon les indications de l'emballage. Réserver dans une assiette.

3. Dans un bol, fouetter les œufs avec la ciboulette et les dés de tomates. Saler et poivrer.

4. Dans une poêle, faire fondre le beurre à feu moyen. Verser la préparation aux œufs dans la poêle et remuer jusqu'à ce que les œufs soient pris.

5. Répartir les asperges dans les assiettes. Garnir d'œufs et parsemer de bacon.

COLLATION DU MATIN

250 ml (1 tasse) de boisson de soya à la vanille et 30 ml (2 c. à soupe) de noix mélangées

QUANTITÉ : 1 portion

202 calories et 9 g de protéines

PAR PORTION		
TENEUR		VQ*
Calories	219	-
Protéines	14 g	-
M.G.	7 g	-
Glucides	25 g	-
Fibres	3 g	13 %
Fer	2 mg	13 %
Calcium	64 mg	6 %
Sodium	774 mg	32 %

* VQ = valeur quotidienne

SAMEDI DÎNER

Soupe réconfortante à la dinde et au riz

PRÉPARATION **30 MINUTES** / CUISSON **1 HEURE 30 MINUTES** / QUANTITÉ **DE 6 À 8 PORTIONS**

- 15 ml (1 c. à soupe) de beurre
- 30 ml (2 c. à soupe) d'huile d'olive
- 2 oignons coupés en dés
- 1 cuisse de dinde sans peau ou 2 cuisses de poulet sans peau avec os
- 30 ml (2 c. à soupe) d'herbes salées
- 1,5 litre (6 tasses) de bouillon de poulet
- 3 carottes
- 2 branches de céleri
- 2 oignons verts
- Quelques tiges de thym et de persil
- 180 ml (¾ de tasse) de riz blanc à grains longs
- 1 boîte de tomates en dés de 540 ml
- 250 ml (1 tasse) de jus de tomate
- Sel et poivre au goût

1. Dans une grande casserole, chauffer le beurre et l'huile à feu moyen. Faire dorer ½ oignon quelques minutes.

2. Déposer la cuisse de dinde dans la casserole et faire dorer 5 minutes de chaque côté.

3. Ajouter les herbes salées et le bouillon de poulet. Laisser mijoter 1 heure à feu doux.

4. Pendant ce temps, tailler les carottes et le céleri en dés. Hacher les oignons verts.

5. Une fois le temps de cuisson écoulé, ajouter le reste des oignons, les carottes, le céleri, les oignons verts et les fines herbes dans la casserole. Poursuivre la cuisson 10 minutes.

6. Ajouter le riz, les tomates en dés et le jus de tomate. Saler et poivrer. Cuire à feu doux 20 minutes.

7. Retirer la cuisse de dinde de la casserole. Désosser la viande, puis la couper en cubes. Remettre dans la casserole et remuer. Si la soupe est trop épaisse, ajouter du bouillon de poulet.

« C'est la recette de ma grand-mère et c'est notre soupe préférée à ma fille et moi. Du réconfort à chaque bouchée ! »

— Caty

SAMEDI COLLATION DE L'APRÈS-MIDI

Trempette aux épinards et artichauts

PRÉPARATION **15 MINUTES** / CUISSON **20 MINUTES** / QUANTITÉ **8 PORTIONS**

PAR PORTION		
TENEUR		**VQ***
Calories	185	-
Protéines	13 g	-
M.G.	11 g	-
Glucides	11 g	-
Fibres	4 g	18 %
Fer	2 mg	15 %
Calcium	387 mg	35 %
Sodium	443 mg	18 %

* VQ = valeur quotidienne

- 1 boîte de fonds d'artichauts de 398 ml, égouttés
- 1 sac d'épinards surgelés de 500 g, décongelés
- 1 contenant de fromage à la crème léger de 250 g, ramolli
- 250 ml (1 tasse) de mozzarella sans gras râpée
- 125 ml (½ tasse) de parmesan faible en gras râpé
- 80 ml (⅓ de tasse) d'amandes hachées
- 10 ml (2 c. à thé) d'ail haché
- 2,5 ml (½ c. à thé) de cari
- 3 oignons verts hachés
- 1 piment thaï haché
- Sel au goût

1. Préchauffer le four à 180 °C (350 °F).

2. Hacher les fonds d'artichauts.

3. Déposer les épinards dans une passoire fine et les presser afin de retirer le surplus d'eau.

4. Dans un bol, mélanger tous les ingrédients.

5. Beurrer un plat de cuisson de 15 cm (6 po), puis y déposer le mélange.

6. Cuire au four de 20 à 25 minutes.

EN ACCOMPAGNEMENT

60 ml (¼ de tasse) de carottes coupées en bâtonnets et 60 ml (¼ de tasse) de poivrons coupés en lanières

QUANTITÉ : 1 portion

20 calories et 1 g de protéines

PAR PORTION		
TENEUR		VQ*
Calories	287	-
Protéines	29 g	-
M.G.	15 g	-
Glucides	10 g	-
Fibres	3 g	13 %
Fer	2 mg	17 %
Calcium	173 mg	16 %
Sodium	963 mg	40 %

*VQ = valeur quotidienne

SAMEDI SOUPER

Fondue à la grecque

Total de l'assiette : 528 calories

PRÉPARATION **20 MINUTES** / CUISSON **15 MINUTES** / QUANTITÉ **4 PORTIONS**

POUR LE BOUILLON :

- 15 ml (1 c. à soupe) d'huile d'olive
- 1 carotte coupée en dés
- 1 oignon haché
- 1 branche de céleri coupée en dés
- 15 ml (1 c. à soupe) d'ail haché
- 80 ml (⅓ de tasse) de vin blanc
- 1,5 litre (6 tasses) de bouillon de bœuf sans sel ajouté
- 30 ml (2 c. à soupe) de jus de citron
- 30 ml (2 c. à soupe) de menthe hachée
- 30 ml (2 c. à soupe) d'origan haché
- 15 ml (1 c. à soupe) de zestes de citron
- 15 ml (1 c. à soupe) de miel
- 15 ml (1 c. à soupe) de grains de coriandre
- 1 tige de thym
- 1 tige de romarin
- Sel et poivre au goût

POUR TREMPER :

- 200 g (environ ½ lb) de poitrines de poulet sans peau coupées en petits cubes
- 200 g (environ ½ lb) de tranches de bœuf pour fondue
- 250 ml (1 tasse) d'olives reines dénoyautées
- ½ contenant de feta de 200 g, coupée en cubes
- 2 courgettes coupées en cubes
- 1 poivron rouge coupé en morceaux

1. Dans une casserole, chauffer l'huile à feu moyen. Cuire la carotte, l'oignon, le céleri et l'ail de 2 à 3 minutes.

2. Ajouter le vin blanc. Porter à ébullition, puis laisser mijoter jusqu'à ce que le liquide ait réduit de moitié.

3. Ajouter le reste des ingrédients du bouillon. Porter à ébullition et laisser mijoter à feu moyen 15 minutes.

4. Au moment du repas, verser le bouillon chaud dans un caquelon à fondue. Cuire la viande, les olives, la feta et les légumes dans le bouillon.

EN ACCOMPAGNEMENT

Salade grecque

QUANTITÉ : 4 portions

PAR PORTION : 192 calories ; protéines 3 g ; matières grasses 16 g ; glucides 10 g ; fibres 2 g (10 % VQ) ; fer 1 mg (7 % VQ) ; calcium 73 mg (7 % VQ) ; sodium 481 mg (20 % VQ)
VQ = valeur quotidienne

Dans un saladier, fouetter 15 ml (1 c. à soupe) de moutarde de Dijon avec 30 ml (2 c. à soupe) de vinaigre de vin rouge, 45 ml (3 c. à soupe) d'huile d'olive, 10 ml (2 c. à thé) de basilic haché, 5 ml (1 c. à thé) d'origan haché et 5 ml (1 c. à thé) de menthe hachée. Ajouter 3 tomates coupées en quartiers, 1 concombre coupé en rondelles, ½ oignon rouge émincé, 125 ml (½ tasse) d'olives Kalamata tranchées, 45 ml (3 c. à soupe) de feta émiettée et ½ laitue romaine déchiquetée. Saler, poivrer et remuer.

Trempette au citron

PRÉPARATION **5 MINUTES** / QUANTITÉ **180 ML (¾ DE TASSE)**

PAR PORTION 30 ml (2 c. à soupe)		
TENEUR		VQ*
Calories	24	-
Protéines	2 g	-
M.G.	0 g	-
Glucides	4 g	-
Fibres	0,2 g	8 %
Fer	0 mg	0 %
Calcium	37 mg	3 %
Sodium	1 mg	0 %

*VQ = valeur quotidienne

- 125 ml (½ tasse) de yogourt grec nature 0 %
- 30 ml (2 c. à soupe) de jus de citron
- 15 ml (1 c. à soupe) de miel
- 10 ml (2 c. à thé) d'origan haché
- Sel et poivre au goût

1. Dans un petit bol, mélanger tous les ingrédients.

2. Réserver au frais jusqu'au moment de servir.

Tzatziki

PRÉPARATION **5 MINUTES** / QUANTITÉ **170 ML (ENVIRON ¾ DE TASSE)**

PAR PORTION 30 ml (2 c. à soupe)		
TENEUR		VQ*
Calories	10	-
Protéines	2 g	-
M.G.	0 g	-
Glucides	1 g	-
Fibres	0,2 g	1 %
Fer	0,1 mg	1 %
Calcium	27 mg	2 %
Sodium	1 mg	0 %

*VQ = valeur quotidienne

- 80 ml (⅓ de tasse) de yogourt grec nature 0 %
- 60 ml (¼ de tasse) de concombre râpé
- 15 ml (1 c. à soupe) de menthe hachée
- 10 ml (2 c. à thé) de jus de lime
- 5 ml (1 c. à thé) d'ail haché
- Sel et poivre au goût

1. Dans un petit bol, mélanger tous les ingrédients.

2. Réserver au frais jusqu'au moment de servir.

Trempette au yogourt et fines herbes

PRÉPARATION **5 MINUTES** / QUANTITÉ **160 ML (⅔ DE TASSE)**

PAR PORTION 30 ml (2 c. à soupe)		
TENEUR		VQ*
Calories	15	-
Protéines	1 g	-
M.G.	0 g	-
Glucides	2 g	-
Fibres	0,3 g	1 %
Fer	0,3 mg	2 %
Calcium	40 mg	4 %
Sodium	13 mg	0,5 %

*VQ = valeur quotidienne

- 80 ml (⅓ de tasse) de yogourt nature 0 %
- 15 ml (1 c. à soupe) de vinaigre de vin blanc
- 15 ml (1 c. à soupe) de persil haché
- 15 ml (1 c. à soupe) de menthe hachée
- 5 ml (1 c. à thé) d'origan haché
- 1 échalote sèche (française) hachée
- Sel et poivre au goût

1. Dans un petit bol, mélanger tous les ingrédients.

2. Réserver au frais jusqu'au moment de servir.

PAR PORTION 1 rocher		
TENEUR		VQ*
Calories	120	-
Protéines	2 g	-
M.G.	8 g	-
Glucides	10 g	-
Fibres	3 g	37 %
Fer	3 mg	21 %
Calcium	18 mg	2 %
Sodium	4 mg	0,2 %

* VQ = valeur quotidienne

SAMEDI DESSERT

Rochers croustillants au chocolat, canneberges et épices

PRÉPARATION **15 MINUTES** / RÉFRIGÉRATION **1 HEURE** / QUANTITÉ **12 ROCHERS**

- 200 g (environ ½ lb) de chocolat mi-sucré coupé en morceaux
- 250 ml (1 tasse) de céréales de riz soufflé (de type Rice Krispies)
- 125 ml (½ tasse) de canneberges séchées
- 1,25 ml (¼ de c. à thé) de cannelle
- 1 pincée de cardamome moulue

1. Dans un bain-marie, faire fondre le chocolat. Retirer du feu.

2. Ajouter le reste des ingrédients et remuer.

3. Sur une plaque de cuisson tapissée d'une feuille de papier parchemin, former 12 rochers en utilisant environ 60 ml (¼ de tasse) de préparation pour chacun d'eux.

4. Réfrigérer de 1 à 2 heures avant de servir.

Tellement, tellement bon ! Attention de ne pas « tomber » dans le plat !

— Caty

PAR PORTION		
TENEUR		VQ*
Calories	282	-
Protéines	21 g	-
M.G.	1 g	-
Glucides	51 g	-
Fibres	5 g	22 %
Fer	1 mg	7 %
Calcium	358 mg	33 %
Sodium	22 mg	1 %

*VQ = valeur quotidienne

DIMANCHE **DÉJEUNER**

Smoothie bleuets et mûres

PRÉPARATION **5 MINUTES** / QUANTITÉ **2 PORTIONS**

- 375 ml (1 ½ tasse) de yogourt grec nature 0 %
- 125 ml (½ tasse) de jus de grenade
- 125 ml (½ tasse) de jus d'orange
- 125 ml (½ tasse) de chou kale émincé
- 125 ml (½ tasse) de bleuets surgelés
- 125 ml (½ tasse) de mûres
- 30 ml (2 c. à soupe) de miel

1. Dans le contenant du mélangeur, mélanger le yogourt avec le jus de grenade, le jus d'orange, le chou kale, les bleuets, les mûres et le miel de 1 à 2 minutes, jusqu'à l'obtention d'une texture homogène.

2. Si le smoothie est trop liquide, ajouter un peu de yogourt grec. S'il est trop épais, ajouter un peu de jus de grenade ou d'orange.

COLLATION DU MATIN

1 boule d'énergie aux canneberges (voir la recette à la page 101)

178 calories et 5 g de protéines

PAR PORTION		
TENEUR		VQ*
Calories	264	-
Protéines	12 g	-
M.G.	12 g	-
Glucides	27 g	-
Fibres	9 g	36 %
Fer	2 mg	15 %
Calcium	82 mg	8 %
Sodium	79 mg	3 %

* VQ = valeur quotidienne

DIMANCHE DÎNER-BRUNCH

Cassolette de légumes façon brunch

PRÉPARATION **20 MINUTES** / CUISSON **12 MINUTES** / QUANTITÉ **4 PORTIONS**

- 30 ml (2 c. à soupe) d'huile d'olive
- 375 ml (1 ½ tasse) de pommes de terre pelées et coupées en dés
- 250 ml (1 tasse) de mélange de légumes frais pour sauce à spaghetti
- 125 ml (½ tasse) de haricots verts coupés en petits morceaux
- 10 ml (2 c. à thé) de thym haché
- 5 ml (1 c. à thé) d'ail haché
- Sel et poivre au goût
- 4 œufs

1. Préchauffer le four à 190 °C (375 °F).

2. Dans une poêle, chauffer l'huile à feu moyen. Cuire les pommes de terre 2 minutes.

3. Ajouter les légumes pour sauce à spaghetti, les haricots, le thym et l'ail. Cuire de 4 à 5 minutes. Saler et poivrer.

4. Répartir la préparation dans quatre ramequins. Casser 1 œuf au centre de chacun des ramequins.

5. Cuire au four de 12 à 15 minutes.

EN ACCOMPAGNEMENT

Sauce cheddar et ciboulette

QUANTITÉ : 4 portions

PAR PORTION : 176 calories ; protéines 6 g ; matières grasses 17 g ; glucides 3 g ; fibres 0 g (0 % VQ) ; fer 0 mg (0 % VQ) ; calcium 179 mg (16 % VQ) ; sodium 176 mg (7 % VQ)
VQ = valeur quotidienne

Dans une casserole, chauffer à feu moyen 180 ml (¾ de tasse) de crème à cuisson 15 %. Incorporer 250 ml (1 tasse) de cheddar fort râpé et remuer jusqu'à ce que le fromage soit fondu. Ajouter 30 ml (2 c. à soupe) de ciboulette hachée et remuer.

COLLATION DE L'APRÈS-MIDI

125 ml (½ tasse) de compote de pommes non sucrée

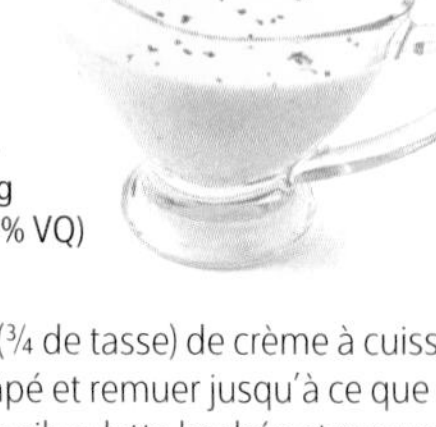

QUANTITÉ : 1 portion

54 calories et 0 g de protéines

PAR PORTION		
TENEUR		VQ*
Calories	408	-
Protéines	21 g	-
M.G.	12 g	-
Glucides	49 g	-
Fibres	2 g	8 %
Fer	2 mg	17 %
Calcium	132 mg	12 %
Sodium	455 mg	19 %

* VQ = valeur quotidienne

DIMANCHE SOUPER

Capellinis au saumon fumé, crevettes et roquette

PRÉPARATION **25 MINUTES** / CUISSON **10 MINUTES** / QUANTITÉ **6 PORTIONS**

- 350 g (environ ¾ de lb) de capellinis

POUR LA SAUCE :

- 15 ml (1 c. à soupe) d'huile d'olive
- 60 ml (¼ de tasse) d'échalotes sèches (françaises) hachées
- 125 ml (½ tasse) de vin blanc
- 375 ml (1 ½ tasse) de mélange laitier pour cuisson 5 %
- 125 ml (½ tasse) de cheddar allégé 18 % râpé
- Sel et poivre au goût
- 150 g (250 ml) de crevettes nordiques
- 1 paquet de saumon fumé de 140 g, coupé en morceaux
- 250 ml (1 tasse) de roquette

1. Dans une casserole d'eau bouillante salée, cuire les pâtes *al dente*. Égoutter.

2. Pendant ce temps, chauffer l'huile à feu moyen dans une autre casserole. Cuire les échalotes de 1 à 2 minutes, puis verser le vin blanc. Laisser mijoter à feu moyen jusqu'à réduction complète du liquide.

3. Verser le mélange laitier et chauffer jusqu'aux premiers frémissements.

4. Ajouter le cheddar graduellement et remuer jusqu'à ce qu'il soit fondu. Saler et poivrer.

5. Ajouter les pâtes égouttées et les crevettes. Remuer et cuire 1 minute.

6. Ajouter le saumon fumé et la roquette. Servir immédiatement.

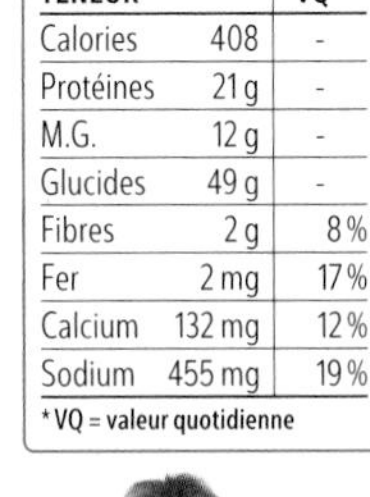

« Vous pouvez remplacer une partie des capellinis par 250 ml (1 tasse) de courge spaghetti ou de julienne de courgette afin de réduire la quantité de glucides. Idéal pour ceux qui aiment manger un peu plus léger le lendemain d'un repas de fondue ! »

— Charlotte

Mon bilan de la semaine 2

Fini les courbatures !

Hey, c'est vrai ! Je viens de me rendre compte que je fais maintenant tous mes exercices sans être courbaturée. Wow ! Je suis pas mal fière de moi !

« Excellente nouvelle ! C'est signe que le corps a réussi à s'adapter à la routine ! »

– Karine

Chérie, J'AI MAIGRI !

Ce matin, mon *chum* est tout fier de me dire qu'il a perdu 2 livres. C'est pas juste, il maigrit plus vite que moi ! Et il ne fait même pas les exercices ! Même si je suis jalouse, je suis vraiment contente de voir que mon défi a des retombées positives pour toute ma famille. Que mon *chum* perde un peu de sa petite bedaine de bière, c'est bien cool ! **:)**

« Non, non, mon amour, il n'y a pas de tofu là-dedans ! »

Ma fille Gabrielle est vraiment difficile ! L'autre matin, elle m'a prise en flagrant délit juste au moment où je déposais le tofu dans le mélangeur. « Du tofu, beurk, dégueu ! » J'étais tellement contente de les voir, elle et son grand frère, « caler » leur smoothie santé tous les matins. Je me frottais les mains de satisfaction. Maintenant, je dois mentir pour la convaincre de boire le même smoothie qu'elle buvait avec tant d'enthousiasme... !

Gabrielle

Je vais manger après !

La gestion de mes horaires est un véritable casse-tête. Mercredi, j'ai été retenue au bureau et je n'ai pas réussi à faire mes exercices avant le souper. Je me suis dépêchée à souper pour descendre dans mon « gymnase » pendant que la petite était partie au ballet. J'ai manqué mourir ! Ce n'est vraiment pas une bonne idée de faire des exercices intenses juste après avoir mangé ! Je ne le ferai plus, promis !

TASSEZ-VOUS, J'AI FAIIIIIIM !

« Bon, je l'avoue, j'ai été un peu irritable et impatiente avec les enfants aujourd'hui... J'ai été en colloque toute la journée et je n'ai pas pu manger mes collations ☹. Pourquoi est-ce que la nourriture joue un rôle sur l'humeur ? »

« Le manque de calories peut occasionner un changement d'humeur, comme de l'irritabilité, de la fatigue ou une diminution de la concentration. Il est donc très important de consommer tous ses repas et collations afin d'éviter ce genre d'inconfort et de surconsommer des aliments au prochain repas. Apprenez à écouter et à respecter vos signaux de faim et de satiété ! »

— Charlotte

Et si je dois aller au resto ?

VOICI LES MEILLEURS CHOIX ET CONSEILS DE CHARLOTTE :

- Tartare de poisson avec salade (idéalement pas de croûtons)
- Sauté de poulet, de crevettes ou de bœuf accompagné de légumes
- Soupe-repas ou salade-repas (vinaigrette à part, 1 portion = 15 à 30 ml — de 1 à 2 c. à soupe)
- Viande ou poisson grillé avec légumes
- Carpaccio avec légumes
- Sushis (de 6 à 8) avec salade de wakamé

SES TRUCS :

- Si possible, prenez connaissance du menu avant de vous rendre au resto afin de repérer les meilleurs choix.
- Évitez les tables d'hôte qui poussent la plupart du temps à manger plus qu'à notre faim.
- Si vous avez réellement envie d'un dessert, partagez-le.
- Quand c'est possible, remplacez les féculents par une portion de légumes.
- Si la satiété est atteinte, n'hésitez pas à rapporter les restes à la maison.

Ma récompense de la semaine : **aller magasiner**

Hier, je suis allée magasiner. J'ai essayé une robe que je n'aurais jamais osé essayer avant. Moulante et tellement sexy. Hmm ! Il m'en manque encore un peu, mais ça s'en vient. Aujourd'hui, quand je faisais mes exercices et que je suais ma vie, je pensais à ma belle robe... Je vous le jure, je vais bientôt la porter cette petite merveille !

Entraînement semaine 3

CIRCUIT (25 MINUTES)

Cette semaine, on s'attaque à 6 mini-circuits qui incluent chacun deux exercices de musculation et un exercice cardio. On effectue un mini-circuit (en enchaînant les exercices les uns après les autres), on prend une pause de 30 secondes et on le fait une seconde fois. On prend 1 minute de repos (en s'hydratant bien !), puis on passe au mini-circuit suivant.

Pour les exercices avec poids, utiliser des poids de 3 à 5 lb minimum, idéalement de 5 lb.

Jours	Programme d'entraînement
Lundi	Jour de circuit
Mardi	Exercice cardiovasculaire au choix d'intensité faible à modérée - 30 minutes *
Mercredi	Jour de circuit
Jeudi	Repos actif (cumuler au moins 10 000 pas)
Vendredi	Jour de circuit
Samedi	Exercice cardiovasculaire au choix d'intensité faible à modérée - 30 minutes *
Dimanche	Repos actif (cumuler au moins 10 000 pas)

* Exemples : vélo, marche rapide, jogging léger, cours de groupe, DVD...

On s'échauffe !

Voir les exercices complets et les indications aux page 32 à 34.

Grandes fentes latérales alternées

Simulation de saut à la corde

Genoux levés alternés (sans saut)

Talons aux fesses

Grandes fentes arrière alternées

MINI-CIRCUIT 1

1 Fente arrière avec élévation de la jambe arrière

10 répétitions de chaque côté

MUSCLES CIBLÉS : jambes

POSITION DE DÉPART : debout, les pieds à la largeur des hanches, les bras le long du corps, un poids dans chaque main.

- Faire un grand pas derrière avec une jambe, puis descendre en fléchissant le genou avant à 90 degrés. Le genou de la jambe avant doit être aligné avec la cheville.
- Propulser le corps vers l'avant en dépliant la jambe avant et en mettant le poids sur cette dernière. Simultanément, soulever la jambe arrière. Le genou de la jambe de support demeure légèrement fléchi, le dos est droit et les abdominaux sont contractés. Revenir en position de fente. Les bras demeurent immobiles. Terminer la série et faire de même de l'autre côté.

2

Sumo *squat* mains à la tête avec genou levé latéralement alterné

20 répétitions

MUSCLES CIBLÉS : jambes

POSITION DE DÉPART : debout, pieds écartés au double de la largeur du bassin et orientés vers l'extérieur, coudes ouverts, mains derrière la tête.

- Fléchir les jambes en gardant le dos droit jusqu'à ce que les genoux forment un angle de 90 degrés. Les genoux ne doivent pas dépasser les orteils.
- Revenir en position debout en levant un genou latéralement et en effectuant une flexion latérale du tronc en approchant le coude du genou.
- Revenir en position initiale. Poursuivre la série en alternance.

Tendus latéraux alternés avec saut pieds joints

10 répétitions

POSITION DE DÉPART : debout, les pieds joints, les bras le long du corps.

- Effectuer une flexion de la jambe droite en allant porter la jambe gauche de côté et toucher le sol avec la main gauche.
- Sauter de façon à répéter le mouvement de l'autre côté.
- Relever le corps et utiliser la force des jambes pour sauter pieds joints, bras pointés vers le plafond. Répéter la séquence en commençant les tendus latéraux avec la main droite devant le pied gauche. Poursuivre en alternance.

MINI-CIRCUIT 2

1

Reverse fly debout, tronc incliné

15 répétitions

MUSCLES CIBLÉS : dos

POSITION DE DÉPART : debout, les pieds joints, le tronc incliné vers l'avant, un poids dans chaque main.

- Ouvrir les bras jusqu'à ce que les poids arrivent à la hauteur des épaules. Rapprocher les omoplates l'une de l'autre et maintenir la contraction 1 seconde. Revenir en position initiale et continuer la séquence.

2

Fly au sol, jambes soulevées et genoux fléchis

15 répétitions

MUSCLES CIBLÉS : pectoraux et abdominaux

POSITION DE DÉPART : sur le dos, genoux soulevés et fléchis à 90 degrés, en ligne droite avec les hanches, bras en croix, un poids dans chaque main.

- Coller les mains ensemble au-dessus de la poitrine pour joindre les poids. Les bras sont tendus et alignés avec les épaules.
- Revenir en position initiale en ouvrant les bras, puis continuer la séquence.

3

Chassé latéral avec touché au sol (aller-retour)

10 répétitions

EXERCICE CARDIO

POSITION DE DÉPART : debout, les pieds joints, les bras le long du corps.

- Faire trois petits pas rapides vers la gauche, puis fléchir les jambes pour toucher le sol avec la main gauche, un peu plus loin à l'extérieur du pied gauche. Le talon du pied droit ne touche pas le sol, prêt à repartir dans l'autre sens.
- Faire trois petits pas rapides vers la droite, puis fléchir les jambes pour toucher le sol avec la main droite (un peu plus loin à l'extérieur du pied droit). Le talon du pied gauche ne touche pas le sol, prêt à repartir dans l'autre sens. Continuer la séquence pour un total de 10 répétitions (un aller-retour = une répétition).

MINI-CIRCUIT 3

1

Fentes latérales alternées avec saut

10 répétitions

MUSCLES CIBLÉS : jambes

POSITION DE DÉPART : debout, pieds joints, coudes fléchis, poids en mains plaqués à la poitrine.

- Effectuer un grand pas latéral vers la droite en fléchissant le genou droit à 90 degrés. Celui-ci ne dépasse pas les orteils. Le tronc est incliné, avec les fesses loin derrière. Les bras pointent vers le sol de chaque côté du genou droit et la jambe gauche est allongée. Revenir debout à la position initiale et effectuer un saut sur place, mains près du corps.
- Effectuer un grand pas latéral vers la gauche en fléchissant le genou gauche à 90 degrés. Celui-ci ne dépasse pas les orteils. Le tronc est incliné, avec les fesses loin derrière. Les bras pointent vers le sol de chaque côté du genou gauche et la jambe droite est allongée. Revenir debout à la position initiale et effectuer un saut sur place, mains près du corps.
- Continuer la série en alternance.

2

Pont sur une jambe avec flexion de la jambe

10 répétitions par jambe

MUSCLES CIBLÉS : fessiers

POSITION DE DÉPART : au sol, sur le dos, genoux fléchis, pieds au sol, bras le long du corps.

- Déplacer un genou vers la poitrine et le tenir avec les mains.
- Soulever le bassin en contractant les fesses et tirer sur le genou qui est tenu par les mains. Seuls la tête, les épaules et le pied opposé touchent le sol.
- Descendre le bassin et effleurer les fesses au sol, puis terminer la série avec cette jambe.
- Répéter l'exercice avec l'autre jambe.

3

4 x 8 (8 jogging talons-fesses, 8 jogging genoux hauts, 8 *jumping Jack* et 8 simulations de saut à la corde)

1 minute

EXERCICE CARDIO

POSITION DE DÉPART : debout, pieds à la largeur du bassin, les bras le long du corps.

Enchaîner rapidement ces quatre exercices :

JOGGING TALONS-FESSES

- Jogger sur place en allant toucher les fesses avec les talons. Balancer les bras simultanément. Effectuer 8 répétitions.

JOGGING GENOUX HAUTS

- Jogger sur place en levant les genoux l'un à la suite de l'autre le plus haut possible. Toucher le genou élevé avec la main opposée à la jambe. Maintenir un bon rythme. Effectuer 8 répétitions.

JUMPING JACK

- Sauter en écartant les jambes latéralement et en montant les bras de chaque côté du corps jusqu'à ce que les mains se touchent au-dessus de la tête.
- Ramener immédiatement bras et jambes pour revenir en position initiale. Répéter la séquence en maintenant un bon rythme. Effectuer 8 répétitions.

SIMULATION SAUT À LA CORDE

- Simuler un saut à la corde en gardant les pieds collés. Effectuer 8 répétitions.

Reprendre la séquence de 4 exercices jusqu'à ce que la minute soit écoulée.

MINI-CIRCUIT 4

1

Élévation des bras en V et devant

10 répétitions

MUSCLES CIBLÉS : épaules

POSITION DE DÉPART : debout, les pieds joints, un poids dans chaque main, paumes tournées vers l'avant.

- Lever les bras en V jusqu'à la hauteur des épaules, puis les redescendre.
- Tourner les paumes vers l'arrière, lever les bras bien tendus devant le corps jusqu'à la hauteur des épaules, puis les redescendre. Ne pas casser les poignets.
- Tourner les paumes vers l'avant et poursuivre la série en alternance pour 9 autres répétitions.

2

Extension de la jambe à quatre pattes

10 répétitions par jambe

MUSCLES CIBLÉS : lombaires

POSITION DE DÉPART : à quatre pattes au sol.

- Étirer une jambe vers l'arrière, puis déplacer le genou de cette jambe vers la poitrine. Garder le dos droit. Terminer la série et faire de même avec l'autre jambe.

3

Tendus latéraux alternés avec saut pieds joints

POSITION DE DÉPART : debout, les pieds joints, les bras le long du corps.

- Effectuer une flexion de la jambe droite en allant porter la jambe gauche de côté et toucher le sol avec la main gauche.
- Sauter de façon à répéter le mouvement de l'autre côté.
- Relever le corps et utiliser la force des jambes pour sauter pieds joints, bras pointés vers le plafond. Répéter la séquence en commençant les tendus latéraux avec la main droite devant le pied gauche. Poursuivre en alternance.

MINI-CIRCUIT 5

1

Flexion aux coudes suivi de *Zottman curls*

10 répétitions de chaque mouvement

MUSCLES CIBLÉS : biceps

POSITION DE DÉPART : debout, les pieds joints, un poids dans chaque main, paumes tournées vers l'avant.

- Fléchir les coudes et lever les poids aux épaules. Revenir en position initiale et poursuivre la séquence jusqu'à 10 répétitions.
- Tendre les bras en croix à la hauteur des épaules, puis fléchir les coudes pour venir porter les poids de chaque côté de la tête, près des oreilles. Tendre les bras en croix de nouveau et poursuivre la séquence jusqu'à 10 répétitions.

2 Extension des coudes en position équilibre sur une jambe, tronc incliné devant

10 répétitions par jambe

MUSCLES CIBLÉS : triceps

POSITION DE DÉPART : debout, les pieds joints, le tronc légèrement incliné vers l'avant, les bras de chaque côté du corps, coudes fléchis à 90 degrés, un poids dans chaque main.

- Basculer le tronc vers l'avant tout en levant une jambe vers l'arrière et en étirant les bras dans cette même direction. Fléchir les bras et répéter le mouvement de bras en gardant la jambe soulevée derrière. Poursuivre la séquence jusqu'à 10 répétitions.
- Répéter l'exercice avec l'autre jambe.

3 Chassé latéral avec touché au sol (aller-retour)

10 répétitions

EXERCICE CARDIO

POSITION DE DÉPART : debout, les pieds joints, les bras le long du corps.

- Faire trois petits pas rapides vers la gauche, puis fléchir les jambes pour toucher le sol avec la main gauche, un peu plus loin à l'extérieur du pied gauche. Le talon du pied droit ne touche pas le sol, prêt à repartir dans l'autre sens.
- Faire trois petits pas rapides vers la droite, puis fléchir les jambes pour toucher le sol avec la main droit (un peu plus loin à l'extérieur du pied droit). Le talon du pied gauche ne touche pas le sol, prêt à repartir dans l'autre sens. Continuer la séquence pour un total de 10 répétitions (un aller-retour = une répétition).

MINI-CIRCUIT 6

1

Boîte avec extension simultanée de la jambe et du bras opposé

10 répétitions

MUSCLES CIBLÉS : abdominaux

POSITION DE DÉPART : au sol, sur le dos, bras qui pointent vers le plafond alignés avec les épaules, un poids dans chaque main, jambes à la verticale légèrement inclinées vers les bras.

- Descendre un bras et la jambe opposée simultanément. Revenir en position initiale, puis faire de même de l'autre côté. Garder le dos plaqué contre le sol tout au long du mouvement. Poursuivre la série en alternance.

2

Crunch papillon

10 répétitions

MUSCLES CIBLÉS : abdominaux et dos

POSITION DE DÉPART : au sol, sur le dos, jambes relevées, plante de pied contre plante de pied, bras allongés à la verticale, un poids entre les mains (une extrémité dans chaque main).

- Porter les bras derrière la tête en gardant le dos plaqué contre le sol. Ramener les bras en soulevant le haut du corps et en contractant les abdominaux pour aller toucher les pieds avec les mains.
- Revenir en position initiale et continuer la séquence pour compléter la série.

4 x 8 (8 jogging talons-fesses, 8 jogging genoux hauts, 8 *jumping Jack* et 8 simulations de saut à la corde)

EXERCICE CARDIO

1 minute

POSITION DE DÉPART : debout, pieds à la largeur du bassin, les bras le long du corps.

Enchaîner rapidement ces quatre exercices :

JOGGING TALONS-FESSES

- Jogger sur place en allant toucher les fesses avec les talons. Balancer les bras simultanément. Effectuer 8 répétitions.

JOGGING GENOUX HAUTS

- Jogger sur place en levant les genoux l'un à la suite de l'autre le plus haut possible. Toucher le genou élevé avec la main opposée à la jambe. Maintenir un bon rythme. Effectuer 8 répétitions.

JUMPING JACK

- Sauter en écartant les jambes latéralement et en montant les bras de chaque côté du corps jusqu'à ce que les mains se touchent au-dessus de la tête.
- Ramener immédiatement bras et jambes pour revenir en position initiale. Répéter la séquence en maintenant un bon rythme. Effectuer 8 répétitions.

SIMULATION SAUT À LA CORDE

- Simuler un saut à la corde en gardant les pieds collés. Effectuer 8 répétitions.

Reprendre la séquence de 4 exercices jusqu'à ce que la minute soit écoulée.

On s'étire !

Voir les exercices complets et les indications aux page 41 à 43.

Cobra

Chien tête baissée

Étirement des ischio-jambiers

Étirement des mollets

Étirement des fléchisseurs de la hanche

Étirement des fessiers

Coquille

Menu semaine 3

LUNDI

1549 CALORIES

DÉJEUNER
Pain aux bananes et lentilles avec 1 petit yogourt grec à la vanille 0 % de 100 g

COLLATION DU MATIN
1 fromage effilochable et 1 pomme

DÎNER
Salade de quinoa au poulet, vinaigrette au sésame

COLLATION DE L'APRÈS-MIDI
23 amandes

SOUPER
Brochettes de saumon caramélisé à l'érable avec salade d'épinards

MARDI

1595 CALORIES

DÉJEUNER
Smoothie rassasiant choco-bananes

COLLATION DU MATIN
1 barre sans cuisson au quinoa soufflé

DÎNER
Salade de cœurs de romaine, poulet et noix + 125 ml (½ tasse) de yogourt à la vanille 2,9 %

COLLATION DE L'APRÈS-MIDI
30 ml (2 c. à soupe) de houmous du commerce avec céleri

SOUPER
Spaghetti sauce marinara et boulettes végé

MERCREDI

1490 CALORIES

DÉJEUNER
Bol de céréales aux amandes

COLLATION DU MATIN
½ banane et 15 ml (1 c. à soupe) de beurre d'arachide naturel

DÎNER
Salade de riz, crevettes et raisins rouges

COLLATION DE L'APRÈS-MIDI
125 ml (½ tasse) de fromage cottage 1 % avec 125 ml (½ tasse) de bleuets

SOUPER
Tofu croustillant aux graines de sésame et légumes asiatiques

JEUDI

1227 CALORIES

DÉJEUNER
Grilled cheese avec œuf

COLLATION DU MATIN
Mousse aux petits fruits et tofu

DÎNER
Pâtes de blé entier au thon, chou kale et citron

COLLATION DE L'APRÈS-MIDI
30 ml (2 c. à soupe) de graines de citrouille

SOUPER
Soupe thaï aux crevettes et courge

VENDREDI
1462 CALORIES

DÉJEUNER
Coupe-déjeuner au yogourt islandais et granola maison

COLLATION DU MATIN
125 ml (½ tasse) de boisson de soya et 30 ml (2 c. à soupe) de noix

DÎNER
Salade de pois chiches à la grecque

COLLATION DE L'APRÈS-MIDI
125 ml (½ tasse) de compote de pommes non sucrée

SOUPER
Croquettes de poulet aux céréales avec trempette et légumes au choix

SAMEDI
1426 CALORIES

DÉJEUNER
Gruau-repas cuit au four

COLLATION DU MATIN
1 fromage effilochable et 125 ml (½ tasse) de compote de pommes non sucrée

DÎNER
Soupe à l'oignon et bœuf gratinée

COLLATION DE L'APRÈS-MIDI
1 petit contenant de yogourt grec à la vanille 0 % de 100 g

SOUPER
Tartare aux deux saumons avec légumes au choix

DESSERT
Mousse au chocolat au tofu

DIMANCHE
1366 CALORIES

DÉJEUNER
Smoothie dattes, banane et lait d'amandes

COLLATION DU MATIN
1 fromage effilochable et 80 ml (⅓ de tasse) de raisins rouges

DÎNER-BRUNCH
Mini-quiches tortillas

COLLATION DE L'APRÈS-MIDI
Popcorn de chou-fleur

SOUPER
Rôti de palette de bœuf, sauce balsamique-érable avec purée de pommes de terre

PAR PORTION		
TENEUR		VQ*
Calories	284	-
Protéines	6 g	-
M.G.	13 g	-
Glucides	40 g	-
Fibres	2 g	8 %
Fer	1 mg	9 %
Calcium	39 mg	4 %
Sodium	139 mg	6 %

* VQ = valeur quotidienne

LUNDI DÉJEUNER

Pain aux bananes et lentilles

PRÉPARATION **20 MINUTES** / CUISSON **45 MINUTES** / QUANTITÉ **DE 10 À 12 TRANCHES**

- 3 bananes coupées en rondelles
- 15 ml (1 c. à soupe) de jus de citron
- 125 ml (½ tasse) de yogourt grec à la vanille 0 %
- 125 ml (½ tasse) de lentilles vertes cuites ou en conserve
- 1 œuf
- 250 ml (1 tasse) de farine blanche
- 125 ml (½ tasse) de farine de blé entier
- 5 ml (1 c. à thé) de bicarbonate de soude
- 125 ml (½ tasse) de noix de Grenoble hachées
- 5 ml (1 c. à thé) de poudre à pâte
- 125 ml (½ tasse) de beurre ramolli
- 250 ml (1 tasse) de sucre

1. Préchauffer le four à 180 °C (350 °F).

2. Dans un bol, déposer les bananes, le jus de citron, le yogourt, les lentilles et l'œuf. À l'aide du mélangeur-plongeur, réduire la préparation en purée lisse.

3. Dans un autre bol, mélanger les farines avec le bicarbonate de soude, les noix de Grenoble et la poudre à pâte.

4. À l'aide du batteur électrique, fouetter le beurre ramolli avec le sucre dans un troisième bol jusqu'à l'obtention d'une texture crémeuse. Ajouter la préparation aux bananes et fouetter 10 secondes. Ajouter graduellement les ingrédients secs en mélangeant jusqu'à l'obtention d'une préparation homogène.

5. Tapisser un moule à pain de 20 cm x 10 cm (8 po x 4 po) de papier parchemin, puis y verser la pâte. Égaliser la surface.

6. Cuire au four de 45 minutes à 1 heure, jusqu'à ce qu'un cure-dent inséré au centre du pain en ressorte propre. Retirer du four et laisser tiédir.

EN ACCOMPAGNEMENT

1 petit contenant de yogourt grec à la vanille 0 % de 100 g

QUANTITÉ : 1 portion

75 calories et 9 g de protéines

COLLATION DU MATIN

1 fromage effilochable (de type Ficello) et 1 pomme

QUANTITÉ : 1 portion

142 calories et 5 g de protéines

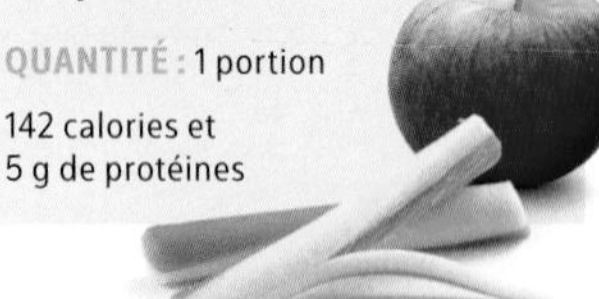

PAR PORTION		
TENEUR		VQ*
Calories	491	-
Protéines	30 g	-
M.G.	25 g	-
Glucides	37 g	-
Fibres	5 g	22 %
Fer	5 mg	35 %
Calcium	79 mg	7 %
Sodium	776 mg	32 %

* VQ = valeur quotidienne

LUNDI DÎNER

Salade de quinoa au poulet, vinaigrette au sésame

PRÉPARATION **15 MINUTES** / CUISSON **15 MINUTES** / QUANTITÉ **4 PORTIONS**

- 450 ml (1 ¾ tasse + 4 c. à thé) de bouillon de poulet
- 250 ml (1 tasse) de quinoa, rincé et égoutté
- 375 ml (1 ½ tasse) de poulet cuit et coupé en cubes
- 375 ml (1 ½ tasse) de mélange de légumes pour salade de chou
- 60 ml (¼ de tasse) de feuilles de coriandre

POUR LA VINAIGRETTE :

- 60 ml (¼ de tasse) d'huile de tournesol
- 30 ml (2 c. à soupe) de tamari
- 15 ml (1 c. à soupe) de vinaigre de cidre
- 15 ml (1 c. à soupe) d'oignon vert émincé
- 10 ml (2 c. à thé) de sirop d'érable
- 10 ml (2 c. à thé) de graines de sésame
- 5 ml (1 c. à thé) de moutarde de Dijon
- 5 ml (1 c. à thé) d'huile de sésame (non grillé)
- Sel et poivre au goût

1. Dans une casserole, porter à ébullition le bouillon de poulet.

2. Ajouter le quinoa et couvrir. Laisser mijoter 15 minutes à feu doux, jusqu'à absorption complète du liquide.

3. Retirer du feu. Couvrir et laisser reposer 5 minutes. Égrainer le quinoa à l'aide d'une fourchette et laisser tiédir.

4. Dans un saladier, fouetter les ingrédients de la vinaigrette. Ajouter le reste des ingrédients et remuer.

COLLATION DE L'APRÈS-MIDI

23 amandes

QUANTITÉ : 1 portion

160 calories et 6 g de protéines

PAR PORTION		
TENEUR		VQ*
Calories	314	-
Protéines	24 g	-
M.G.	19 g	-
Glucides	11 g	-
Fibres	0,3 g	1 %
Fer	1 mg	6 %
Calcium	40 mg	4 %
Sodium	170 mg	7 %

*VQ = valeur quotidienne

LUNDI SOUPER

Brochettes de saumon caramélisé à l'érable

Total de l'assiette : 397 calories

PRÉPARATION **20 MINUTES** / TREMPAGE (FACULTATIF) : **30 MINUTES**
CUISSON **4 MINUTES** / QUANTITÉ **4 PORTIONS**

- 450 g (1 lb) de pavés de saumon de 2,5 cm (1 po) d'épaisseur, la peau enlevée

POUR LA SAUCE À L'ÉRABLE :

- 45 ml (3 c. à soupe) de sirop d'érable
- 30 ml (2 c. à soupe) de moutarde de Dijon
- 30 ml (2 c. à soupe) d'aneth haché
- 15 ml (1 c. à soupe) d'huile d'olive
- 10 ml (2 c. à thé) d'ail haché
- Sel et poivre au goût

1. Si les brochettes utilisées sont en bambou, les faire tremper dans l'eau environ 30 minutes avant la cuisson.

2. Au moment de la cuisson, tailler les pavés de saumon en 16 cubes.

3. Dans un bol, mélanger les ingrédients de la sauce à l'érable. Ajouter les cubes de saumon et remuer pour les enrober de sauce.

4. Piquer les cubes de saumon sur les brochettes.

5. Préchauffer le four à la position « gril » (*broil*).

6. Tapisser une plaque de cuisson d'une feuille de papier d'aluminium, puis huiler légèrement la feuille. Chauffer la plaque au four 2 minutes.

7. Déposer les brochettes sur la plaque. Cuire au four 4 minutes, en retournant les brochettes à mi-cuisson.

« Un must dans ma famille ! L'été, on fait les brochettes sur le barbecue. L'hiver, avec le gril du four. »
— Caty

EN ACCOMPAGNEMENT

Salade d'épinards et pomme

QUANTITÉ : 4 portions

PAR PORTION : 83 calories ; protéines 1 g ; matières grasses 4 g ; glucides 13 g ; fibres 1 g (5 % VQ) ; fer 1 mg (6 % VQ) ; calcium 33 mg (3 % VQ) ; sodium 38 mg (2 % VQ)
VQ = valeur quotidienne

Dans un saladier, mélanger 15 ml (1 c. à soupe) d'huile d'olive avec 15 ml (1 c. à soupe) de miel, 5 ml (1 c. à thé) de moutarde de Dijon, 45 ml (3 c. à soupe) de jus d'orange et 30 ml (2 c. à soupe) de vinaigre de cidre. Saler et poivrer. Ajouter 750 ml (3 tasses) de bébés épinards, ½ oignon rouge émincé et 1 pomme émincée. Mélanger.

PAR PORTION		
TENEUR		VQ*
Calories	485	-
Protéines	12 g	-
M.G.	14 g	-
Glucides	87 g	-
Fibres	9 g	37 %
Fer	3 mg	24 %
Calcium	373 mg	34 %
Sodium	241 mg	10 %

* VQ = valeur quotidienne

MARDI DÉJEUNER

Smoothie rassasiant choco-bananes

PRÉPARATION 5 MINUTES / QUANTITÉ 2 PORTIONS

- 500 ml (2 tasses) de lait d'amandes à la vanille
- 180 ml (3/4 de tasse) de flocons d'avoine
- 30 ml (2 c. à soupe) de cacao
- 30 ml (2 c. à soupe) de beurre d'arachide ou de beurre d'amande
- 30 ml (2 c. à soupe) de sirop d'érable
- 2 bananes

1. Dans le contenant du mélangeur, déposer tous les ingrédients. Émulsionner de 1 à 2 minutes, jusqu'à l'obtention d'une texture homogène.

2. Si le smoothie est trop liquide, ajouter un peu de beurre d'arachide. S'il n'est pas assez liquide, ajouter un peu de lait d'amandes.

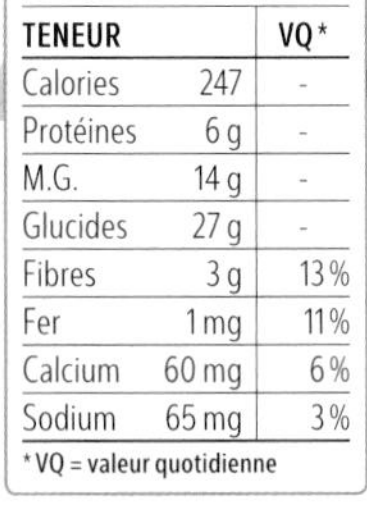

PAR PORTION
1 barre

TENEUR		VQ*
Calories	247	-
Protéines	6 g	-
M.G.	14 g	-
Glucides	27 g	-
Fibres	3 g	13 %
Fer	1 mg	11 %
Calcium	60 mg	6 %
Sodium	65 mg	3 %

* VQ = valeur quotidienne

MARDI COLLATION DU MATIN

Barres sans cuisson au quinoa soufflé

PRÉPARATION **15 MINUTES** / RÉFRIGÉRATION **1 HEURE** / QUANTITÉ **16 BARRES**

- 150 g (1/3 de lb) de chocolat au lait
- 180 ml (3/4 de tasse) de beurre d'arachide crémeux
- 125 ml (1/2 tasse) de sirop d'érable
- 560 ml (2 1/4 tasses) de quinoa soufflé
- 125 ml (1/2 tasse) de flocons d'avoine
- 60 ml (1/4 de tasse) de noix de Grenoble concassées
- 60 ml (1/4 de tasse) de graines de tournesol
- 60 ml (1/4 de tasse) de canneberges séchées
- 30 ml (2 c. à soupe) de graines de sésame
- 8 abricots séchés émincés
- 125 ml (1/2 tasse) d'amandes

1. Dans une casserole, faire fondre le chocolat avec le beurre d'arachide et le sirop d'érable à feu doux.

2. Hors du feu, ajouter le reste des ingrédients, à l'exception des amandes. Remuer délicatement.

3. Tapisser un moule carré de 20 cm (8 po) de papier parchemin, puis y étaler la préparation. Égaliser la surface à l'aide d'une spatule.

4. Déposer les amandes sur la préparation et presser légèrement afin qu'elles y adhèrent.

5. Réfrigérer de 1 à 2 heures.

6. Couper en 16 barres.

« Cette recette serait encore plus santé avec du beurre d'arachide naturel : celui-ci est plus élevé en protéines, il est moins salé et sucré et il ne contient pas de gras hydrogénés. »
– Charlotte

PAR PORTION		
TENEUR		VQ*
Calories	291	-
Protéines	26 g	-
M.G.	7 g	-
Glucides	31 g	-
Fibres	4 g	14 %
Fer	2 mg	16 %
Calcium	135 mg	12 %
Sodium	80 mg	3 %

*VQ = valeur quotidienne

MARDI DÎNER

Salade de cœurs de romaine, poulet et noix, vinaigrette à l'érable

PRÉPARATION **25 MINUTES** / MARINAGE **2 HEURES** / CUISSON **16 MINUTES** / QUANTITÉ **4 PORTIONS**

- 340 g (3/4 de lb) de poitrines de poulet sans peau

POUR LA MARINADE-VINAIGRETTE :

- 125 ml (1/2 tasse) de yogourt nature 0 %
- 60 ml (1/4 de tasse) de sirop d'érable
- 20 ml (4 c. à thé) de vinaigre balsamique
- 15 ml (1 c. à soupe) de sambal oelek
- Sel et poivre au goût

POUR LA SALADE :

- 160 ml (2/3 de tasse) de pois chiches, rincés et égouttés
- 60 ml (1/4 de tasse) de noix de Grenoble
- 3 cœurs de laitue romaine déchiquetés
- 1 pomme verte non pelée tranchée
- Ciboulette hachée finement au goût

1. Dans un petit bol, mélanger les ingrédients de la marinade-vinaigrette.

2. Dans un sac hermétique, verser la moitié de la marinade-vinaigrette et ajouter les poitrines de poulet. Secouer pour enrober les poitrines de marinade. Sceller le sac et laisser mariner de 2 à 3 heures au frais. Réserver le reste de la marinade-vinaigrette au frais.

3. Au moment de la cuisson, égoutter le poulet et jeter la marinade.

4. Dans une poêle antiadhésive, cuire les poitrines 8 minutes de chaque côté, jusqu'à ce que l'intérieur de la chair du poulet ait perdu sa teinte rosée.

5. Déposer les poitrines sur une planche à découper et couvrir d'une feuille de papier d'aluminium. Laisser tiédir 5 minutes.

6. Dans un grand bol, déposer les ingrédients de la salade.

7. Émincer les poitrines de poulet et les ajouter à la salade. Verser la vinaigrette réservée. Remuer.

PETIT DESSERT

125 ml (1/2 tasse) de yogourt à la vanille 2,9 %

QUANTITÉ : 1 portion

111 calories et 6 g de protéines

COLLATION DE L'APRÈS-MIDI

30 ml (2 c. à soupe) de houmous du commerce avec 250 ml (1 tasse) de céleri coupé en bâtonnets

QUANTITÉ : 1 portion

91 calories et 2 g de protéines

PAR PORTION		
TENEUR		VQ*
Calories	370	-
Protéines	15 g	-
M.G.	9 g	-
Glucides	57 g	-
Fibres	6 g	26 %
Fer	3 mg	18 %
Calcium	129 mg	12 %
Sodium	687 mg	29 %

* VQ = valeur quotidienne

MARDI SOUPER

Spaghetti sauce marinara et boulettes végé

PRÉPARATION **20 MINUTES** / CUISSON **10 MINUTES** / QUANTITÉ **DE 6 À 8 PORTIONS**

- 350 g (environ ¾ de lb) de spaghettis
- 30 ml (2 c. à soupe) d'huile d'olive
- 500 ml (2 tasses) de sauce marinara
- 125 ml (½ tasse) de parmesan râpé
- 12 petites feuilles de basilic

POUR LES BOULETTES :

- 1 boîte de haricots rouges de 540 ml, rincés et égouttés
- 80 ml (⅓ de tasse) de chapelure nature
- 45 ml (3 c. à soupe) d'échalotes sèches (françaises) hachées
- 15 ml (1 c. à soupe) d'ail haché
- 15 ml (1 c. à soupe) d'assaisonnements pour salade
- 1 œuf
- Sel et poivre au goût

1. Dans le contenant du robot culinaire, déposer les ingrédients des boulettes. Réduire en pâte.

2. Façonner 20 boulettes en utilisant environ 45 ml (3 c. à soupe) de préparation pour chacune d'elles.

3. Dans une casserole d'eau bouillante salée, cuire les pâtes *al dente*. Égoutter.

4. Pendant ce temps, chauffer l'huile à feu moyen dans une poêle. Cuire les boulettes de 2 à 3 minutes sur toutes les faces.

5. Verser la sauce marinara dans la poêle et porter à ébullition.

6. Répartir les pâtes dans les assiettes. Garnir de boulettes, de sauce, de parmesan et de feuilles de basilic.

On peut réduire le nombre de calories de ce plat en remplaçant les spaghettis par des pâtes de konjac ou de soya !

– Charlotte

PAR PORTION		
TENEUR		VQ*
Calories	432	-
Protéines	13 g	-
M.G.	20 g	-
Glucides	56 g	-
Fibres	16 g	65 %
Fer	4 mg	26 %
Calcium	465 mg	42 %
Sodium	187 mg	8 %

* VQ = valeur quotidienne

MERCREDI DÉJEUNER

Bol de céréales aux amandes

PRÉPARATION **5 MINUTES** / QUANTITÉ **1 PORTION**

- 30 g (1 oz) de céréales entières de type Hemp Plus Granola de Nature's Path
- 250 ml (1 tasse) de lait d'amandes à la vanille
- 250 ml (1 tasse) de framboises
- 45 ml (3 c. à soupe) d'amandes effilées
- 5 ml (1 c. à thé) de graines de chia

1. Dans un bol, mélanger tous les ingrédients.

COLLATION DU MATIN

½ banane et 15 ml (1 c. à soupe) de beurre d'arachide naturel

QUANTITÉ : 1 portion

141 calories et 4 g de protéines

PAR PORTION		
TENEUR		VQ*
Calories	392	-
Protéines	17 g	-
M.G.	25 g	-
Glucides	28 g	-
Fibres	3 g	11 %
Fer	3 mg	18 %
Calcium	85 mg	8 %
Sodium	824 mg	34 %

* VQ = valeur quotidienne

MERCREDI DÎNER

Salade de riz, crevettes et raisins rouges

PRÉPARATION 15 MINUTES / QUANTITÉ 4 PORTIONS

- 250 ml (1 tasse) de raisins rouges
- 300 g (500 ml) de crevettes nordiques
- 1 contenant de bébés épinards de 142 g
- 330 ml (1 ⅓ tasse) de riz cuit
- 60 ml (¼ de tasse) de pacanes rôties en morceaux
- 3 branches de céleri émincées

POUR LA VINAIGRETTE :

- 80 ml (⅓ de tasse) d'huile d'olive
- 45 ml (3 c. à soupe) de jus de lime
- 45 ml (3 c. à soupe) de persil haché
- 30 ml (2 c. à soupe) de sauce soya
- Sel et poivre au goût

1. Dans un saladier, fouetter les ingrédients de la vinaigrette.

2. Couper les raisins en deux. Déposer dans le saladier avec le reste des ingrédients de la salade. Remuer.

COLLATION DE L'APRÈS-MIDI

125 ml (½ tasse) de fromage cottage 1 % avec 125 ml (½ tasse) de bleuets

QUANTITÉ : 1 portion

129 calories et 15 g de protéines

PAR PORTION		
TENEUR		VQ*
Calories	396	-
Protéines	28 g	-
M.G.	26 g	-
Glucides	32 g	-
Fibres	5 g	18 %
Fer	5 mg	36 %
Calcium	315 mg	29 %
Sodium	750 mg	31 %

*VQ = valeur quotidienne

MERCREDI SOUPER

Tofu croustillant aux graines de sésame et légumes asiatiques

PRÉPARATION **20 MINUTES** / MARINAGE **2 HEURES** / CUISSON **6 MINUTES** / QUANTITÉ **4 PORTIONS**

- 1 bloc de tofu ferme de 454 g
- 125 ml (½ tasse) de sauce teriyaki pour marinade
- 15 ml (1 c. à soupe) de gingembre haché
- 60 ml (¼ de tasse) de farine
- 2 œufs
- 60 ml (¼ de tasse) de graines de sésame
- 125 ml (½ tasse) de chapelure panko
- 15 ml (1 c. à soupe) de zestes de lime
- 30 ml (2 c. à soupe) de coriandre hachée
- 30 ml (2 c. à soupe) d'huile de sésame (non grillé)
- 350 g (environ ¾ de lb) de mélange de légumes de style asiatique surgelés, décongelés
- 45 ml (3 c. à soupe) d'arachides hachées
- 2 oignons verts émincés

1. Couper le bloc de tofu en huit tranches sur la largeur.

2. Dans une assiette creuse, verser la moitié de la sauce teriyaki et le gingembre. Ajouter le tofu et le retourner plusieurs fois pour l'enrober de sauce. Laisser mariner de 2 à 3 heures au frais.

3. Au moment de la cuisson, préparer trois assiettes creuses. Dans la première, verser la farine. Dans la deuxième, battre les œufs. Dans la troisième, mélanger les graines de sésame avec la chapelure, les zestes et la coriandre.

4. Fariner les tranches de tofu, les tremper dans les œufs battus, puis les enrober du mélange de chapelure.

5. Dans une poêle, chauffer la moitié de l'huile à feu moyen. Cuire les tranches de tofu de 2 à 3 minutes de chaque côté, jusqu'à ce qu'elles soient dorées et croustillantes.

6. Dans une autre poêle, chauffer le reste de l'huile de sésame à feu moyen. Cuire les légumes asiatiques de 2 à 3 minutes.

7. Ajouter les arachides et le reste de la sauce teriyaki, dans la poêle contenant les légumes. Remuer et porter à ébullition.

8. Répartir la préparation aux légumes dans les assiettes. Garnir chaque portion de deux tranches de tofu croustillant et d'oignons verts.

Wow ! Je peux maintenant dire que j'adore le tofu ! C'est croustillant et avec la petite sauce, c'est vraiment délicieux !

– Caty

PAR PORTION		
TENEUR		VQ*
Calories	214	-
Protéines	13 g	-
M.G.	11 g	-
Glucides	16 g	-
Fibres	2 g	9 %
Fer	2 mg	14 %
Calcium	122 mg	11 %
Sodium	336 mg	14 %

* VQ = valeur quotidienne

JEUDI DÉJEUNER

Grilled cheese avec œuf

PRÉPARATION **10 MINUTES** / CUISSON **2 MINUTES** / QUANTITÉ **1 PORTION**

- 1 tranche de pain multigrain
- 1 tranche de fromage suisse
- 10 ml (2 c. à thé) de beurre
- 1 œuf

1. Préchauffer le four à 205 °C (400 °F).

2. Faire griller la tranche de pain au grille-pain. Déposer la tranche de fromage sur le pain.

3. Déposer le pain sur une assiette d'aluminium. Cuire au four de 2 à 3 minutes, jusqu'à ce que le fromage soit fondu.

4. Pendant ce temps, faire fondre le beurre dans une poêle. Cuire l'œuf miroir de 2 à 3 minutes.

5. Garnir le pain grillé de l'œuf miroir.

« En cuisant l'œuf dans une poêle antiadhésive, vous pourrez utiliser seulement la moitié du beurre, soit 5 ml – 1 c. à thé (45 calories). Pour ajouter des vitamines à votre déjeuner, accompagnez votre grilled cheese d'une demi-tomate tranchée et de quelques feuilles de laitue Boston, pour un total de 12 calories. »

– Charlotte

PAR PORTION		
TENEUR		VQ*
Calories	166	-
Protéines	5 g	-
M.G.	3 g	-
Glucides	15 g	-
Fibres	4 g	17 %
Fer	1 mg	9 %
Calcium	48 mg	4 %
Sodium	6 mg	0,2 %

* VQ = valeur quotidienne

JEUDI COLLATION DU MATIN

Mousse aux petits fruits et tofu

PRÉPARATION **5 MINUTES** / RÉFRIGÉRATION **1 HEURE** / QUANTITÉ **4 PORTIONS**

- 410 ml (1 ⅔ tasse) de fraises émincées
- 1 bloc de tofu mou soyeux nature (de type Mori-Nu) de 340 g
- 250 ml (1 tasse) de framboises
- 125 ml (½ tasse) de bleuets
- 60 ml (¼ de tasse) de sirop d'agave
- 30 ml (2 c. à soupe) de jus de citron

1. Dans le contenant du mélangeur électrique, déposer tous les ingrédients. Émulsionner jusqu'à l'obtention d'une texture lisse.

2. Répartir la préparation dans quatre verrines.

3. Réfrigérer 1 heure avant de servir.

« Une petite collation ultralégère que toute la famille a beaucoup aimée ! »
– Caty

PAR PORTION		
TENEUR		VQ*
Calories	477	-
Protéines	31 g	-
M.G.	10 g	-
Glucides	74 g	-
Fibres	9 g	36 %
Fer	4 mg	29 %
Calcium	84 mg	8 %
Sodium	50 mg	2 %

*VQ = valeur quotidienne

JEUDI DÎNER

Pâtes de blé entier au thon, chou kale et citron

PRÉPARATION **15 MINUTES** / CUISSON **10 MINUTES** / QUANTITÉ **4 PORTIONS**

- 830 ml (environ 3 ¼ tasses) de pennes de blé entier
- 30 ml (2 c. à soupe) d'huile d'olive
- 1 oignon haché
- ½ botte de chou kale, tiges retirées et feuilles hachées grossièrement
- 2 boîtes de thon dans l'eau de 170 g chacune, égoutté
- 1 gousse d'ail hachée finement
- 60 ml (¼ de tasse) de persil haché
- 1 citron (zeste et jus)
- Sel et poivre au goût

1. Dans une casserole d'eau bouillante salée, cuire les pâtes *al dente*. Égoutter en réservant 125 ml (½ tasse) d'eau de cuisson.

2. Pendant ce temps, chauffer l'huile à feu moyen dans une grande poêle. Cuire l'oignon 5 minutes, jusqu'à ce qu'il soit tendre.

3. Ajouter le chou kale et cuire 5 minutes, jusqu'à ce qu'il soit tombé.

4. Ajouter les pâtes et le reste des ingrédients. Mélanger, puis verser un peu d'eau de cuisson pour allonger la préparation. Servir immédiatement.

COLLATION DE L'APRÈS-MIDI

30 ml (2 c. à soupe) de graines de citrouille

QUANTITÉ : 1 portion

165 calories
et 9 g de protéines

PAR PORTION		
TENEUR		VQ*
Calories	205	-
Protéines	14 g	-
M.G.	11 g	-
Glucides	15 g	-
Fibres	3 g	12 %
Fer	2 mg	10 %
Calcium	93 mg	9 %
Sodium	909 mg	38 %

*VQ = valeur quotidienne

JEUDI SOUPER

Soupe thaï aux crevettes et courge

PRÉPARATION **20 MINUTES** / CUISSON **20 MINUTES** / QUANTITÉ **4 PORTIONS**

- 15 ml (1 c. à soupe) d'huile de sésame (non grillé)
- 1 oignon haché
- 15 ml (1 c. à soupe) d'ail haché
- 15 ml (1 c. à soupe) de gingembre haché
- 2 tiges de citronnelle fendues en deux sur la longueur
- 15 ml (1 c. à soupe) de pâte de cari rouge
- 1 litre (4 tasses) de courge Butternut coupée en cubes
- 1 boîte de lait de coco léger de 398 ml
- 500 ml (2 tasses) de bouillon de poulet faible en sodium
- 20 crevettes moyennes (calibre 31/40), crues et décortiquées
- 500 ml (2 tasses) de bébés épinards
- Quelques feuilles de coriandre

1. Dans une casserole, chauffer l'huile à feu moyen. Cuire l'oignon, l'ail, le gingembre et la citronnelle de 1 à 2 minutes.

2. Ajouter la pâte de cari rouge et cuire 30 secondes, jusqu'à ce que les arômes se libèrent.

3. Ajouter la courge Butternut, le lait de coco et le bouillon de poulet. Couvrir et cuire de 15 à 20 minutes, jusqu'à ce que la courge soit tendre. Retirer les tiges de citronnelle.

4. Transvider la préparation dans le contenant du mélangeur ou utiliser un mélangeur-plongeur. Émulsionner 1 minute, jusqu'à l'obtention d'une préparation lisse.

5. Remettre la soupe dans la casserole et porter à ébullition à feu moyen.

6. Ajouter les crevettes et cuire de 2 à 3 minutes.

7. Incorporer les bébés épinards.

8. Au moment de servir, garnir de feuilles de coriandre.

« Je ne suis pas fanatique des courges. J'étais hésitante, mais c'est un délice ! Très savoureux ! »

– Caty

PAR PORTION		
TENEUR		VQ*
Calories	397	-
Protéines	16 g	-
M.G.	15 g	-
Glucides	54 g	-
Fibres	10 g	41 %
Fer	2 mg	13 %
Calcium	78 mg	7 %
Sodium	21 mg	1 %

*VQ = valeur quotidienne

VENDREDI DÉJEUNER

Coupe-déjeuner au yogourt islandais et granola maison

PRÉPARATION **20 MINUTES** / CUISSON **25 MINUTES** / QUANTITÉ **4 PORTIONS**

- 250 ml (1 tasse) de mûres
- 45 ml (3 c. à soupe) de miel
- 500 ml (2 tasses) de yogourt islandais (skyr) nature 0 %
- 160 ml (2/3 de tasse) de framboises
- Quelques feuilles de menthe (facultatif)

POUR LE GRANOLA MAISON :

- 1 blanc d'œuf
- 15 ml (1 c. à soupe) d'eau
- 30 ml (2 c. à soupe) de miel
- 2,5 ml (1/2 c. à thé) de vanille
- 250 ml (1 tasse) de flocons d'avoine
- 60 ml (1/4 de tasse) de pacanes en morceaux
- 60 ml (1/4 de tasse) d'amandes en morceaux
- 60 ml (1/4 de tasse) de noix de coco non sucrée râpée
- 30 ml (2 c. à soupe) de graines de chia

1. Préchauffer le four à 180 °C (350 °F).

2. Dans un bol, fouetter le blanc d'œuf pour le granola avec l'eau, le miel et la vanille jusqu'à l'obtention d'un mélange mousseux. Ajouter le reste des ingrédients du granola et remuer.

3. Étaler la préparation sur une plaque de cuisson tapissée de papier parchemin. Cuire au four de 25 à 30 minutes en remuant de temps en temps, jusqu'à ce que le granola soit doré. Retirer du four et laisser tiédir.

4. Dans un bol, déposer les mûres et le miel. Cuire de 2 à 4 minutes au micro-ondes, jusqu'à l'obtention d'une texture de confiture. Remuer et laisser tiédir.

5. Répartir le mélange de mûres au fond de quatre verrines et garnir de yogourt islandais.

6. Répartir environ 250 ml (1 tasse) de granola maison dans les verrines. Garnir de framboises et, si désiré, de feuilles de menthe. Conserver le granola restant dans un contenant hermétique à température ambiante. Ce granola se conserve une semaine.

COLLATION DU MATIN

125 ml (1/2 tasse) de boisson de soya à la vanille et 30 ml (2 c. à soupe) de noix mélangées

QUANTITÉ : 1 portion

153 calories et 8 g de protéines

PAR PORTION		
TENEUR		VQ*
Calories	485	-
Protéines	17 g	-
M.G.	29 g	-
Glucides	42 g	-
Fibres	6 g	23 %
Fer	4 mg	28 %
Calcium	328 mg	30 %
Sodium	793 mg	33 %

* VQ = valeur quotidienne

VENDREDI DÎNER

Salade de pois chiches à la grecque

PRÉPARATION **15 MINUTES** / RÉFRIGÉRATION **30 MINUTES** / QUANTITÉ **4 PORTIONS**

- 2 concombres libanais
- 12 tomates cerises
- ½ oignon rouge
- 1 poivron jaune
- 1 contenant de feta de 200 g, émiettée
- 12 olives Kalamata dénoyautées
- 1 boîte de pois chiches de 540 ml, rincés et égouttés
- 60 ml (¼ de tasse) de persil haché

POUR LA VINAIGRETTE :

- 60 ml (¼ de tasse) d'huile d'olive
- 30 ml (2 c. à soupe) de vinaigre de cidre
- 30 ml (2 c. à soupe) de basilic haché
- 15 ml (1 c. à soupe) d'ail haché
- 15 ml (1 c. à soupe) de miel
- Sel et poivre au goût

1. Dans un saladier, mélanger les ingrédients de la vinaigrette.

2. Couper les concombres libanais en demi-rondelles et les tomates cerises en deux. Émincer l'oignon rouge et couper le poivron en lanières.

3. Ajouter les légumes, la feta, les olives, les pois chiches et le persil dans le saladier. Remuer.

4. Réserver au frais 30 minutes avant de servir.

COLLATION DE L'APRÈS-MIDI

125 ml (½ tasse) de compote de pommes non sucrée

QUANTITÉ : 1 portion

54 calories et 0 g de protéines

Accompagnez vos croquettes des légumes de votre choix. Découvrez nos idées recettes aux pages 220 et 221 !

VENDREDI SOUPER

Croquettes de poulet aux céréales

PRÉPARATION **15 MINUTES** / CUISSON **20 MINUTES** / QUANTITÉ **6 PORTIONS**

PAR PORTION		
TENEUR		VQ*
Calories	267	-
Protéines	24 g	-
M.G.	7 g	-
Glucides	25g	-
Fibres	1 g	6 %
Fer	3 mg	25 %
Calcium	60 mg	6 %
Sodium	246 mg	10 %

*VQ = valeur quotidienne

- 4 poitrines de poulet sans peau
- 80 ml (1/3 de tasse) de farine
- 2 œufs
- 250 ml (1 tasse) de céréales croustillantes au maïs (de type Corn Flakes) écrasées
- 125 ml (1/2 tasse) de flocons d'avoine à cuisson rapide
- 30 ml (2 c. à soupe) de ciboulette hachée
- 60 ml (1/4 de tasse) de parmesan râpé
- 15 ml (1 c. à soupe) d'huile d'olive

1. Préchauffer le four à 190 °C (375 °F).

2. Couper chaque poitrine de poulet en quatre lanières.

3. Préparer trois assiettes creuses. Dans la première, verser la farine. Dans la deuxième, battre les œufs. Dans la troisième, mélanger les céréales avec les flocons d'avoine, la ciboulette et le parmesan. Fariner les lanières de poulet, les tremper dans les œufs battus, puis les enrober de chapelure aux céréales.

4. Déposer les lanières de poulet sur une plaque de cuisson tapissée de papier parchemin, puis les arroser d'un filet d'huile.

5. Cuire au four de 20 à 25 minutes, jusqu'à ce que l'intérieur de la chair du poulet ait perdu sa teinte rosée.

EN ACCOMPAGNEMENT

Trempette rosée au miel

QUANTITÉ : 6 portions

PAR PORTION - 30 ML (2 C. À SOUPE) : 106 calories ; protéines 1 g ; M.G. 9 g ; glucides 5 g ; fibres 0 g (0 % VQ) ; fer 0 mg (0 % VQ) ; calcium 22 mg (2 % VQ) ; sodium 131 mg (6 % VQ)
VQ = valeur quotidienne

Mélanger 80 ml (1/3 de tasse) de mayonnaise avec 60 ml (1/4 de tasse) de yogourt nature 0 %, 30 ml (2 c. à soupe) de ketchup et 15 ml (1 c. à soupe) de miel.

PAR PORTION		
TENEUR		VQ*
Calories	492	-
Protéines	17 g	-
M.G.	17 g	-
Glucides	69 g	-
Fibres	8 g	31 %
Fer	4 mg	30 %
Calcium	281 mg	26 %
Sodium	113 mg	5 %

*VQ = valeur quotidienne

SAMEDI DÉJEUNER

Gruau-repas cuit au four

PRÉPARATION **15 MINUTES** / CUISSON **35 MINUTES** / QUANTITÉ **4 PORTIONS**

POUR LE GRUAU :

- 500 ml (2 tasses) de boisson de soya à la vanille
- 3 œufs
- 500 ml (2 tasses) de flocons d'avoine à cuisson rapide
- 180 ml (3/4 de tasse) de cassonade
- 45 ml (3 c. à soupe) d'amandes émincées
- 45 ml (3 c. à soupe) de pacanes en morceaux

POUR GARNIR :

- 250 ml (1 tasse) de framboises
- Sirop d'érable au goût

1. Préchauffer le four à 180 °C (350 °F).

2. Beurrer un plat de cuisson carré de 20 cm (8 po).

3. Dans un bol, fouetter la boisson de soya avec les œufs. Incorporer le reste des ingrédients du gruau.

4. Verser le gruau dans le plat. Cuire au four de 35 à 40 minutes.

5. Retirer du four et laisser tiédir. Servir avec les framboises et le sirop d'érable.

COLLATION DU MATIN

1 fromage effilochable (de type Ficello) et 125 ml (1/2 tasse) de compote de pommes non sucrée

QUANTITÉ : 1 portion

124 calories et 5 g de protéines

PAR PORTION		
TENEUR		VQ*
Calories	333	-
Protéines	28 g	-
M.G.	15 g	-
Glucides	23 g	-
Fibres	2 g	8 %
Fer	3 mg	21 %
Calcium	380 mg	34 %
Sodium	289 mg	12 %

* VQ = valeur quotidienne

SAMEDI **DÎNER**

Soupe à l'oignon et bœuf gratinée

PRÉPARATION **15 MINUTES** / CUISSON **15 MINUTES** / QUANTITÉ **4 PORTIONS**

- 80 g (environ 1 ½ sachet de 55 g) de préparation pour soupe à l'oignon
- 1 feuille de laurier
- 1 tige de thym
- Sel et poivre au goût
- 250 g (environ ½ lb) de tranches de bœuf à fondue
- ½ pain baguette tranché en huit
- 375 ml (1 ½ tasse) de fromage suisse râpé

1. Dans une casserole, préparer le mélange de soupe à l'oignon selon les indications de l'emballage. Ajouter la feuille de laurier et le thym. Saler et poivrer. Environ 5 à 8 minutes avant la fin de la cuisson de la soupe, ajouter le bœuf dans la casserole.

2. Répartir la soupe dans quatre bols à gratin. Garnir chaque portion de deux morceaux de pain et de fromage suisse.

3. Déposer les bols sur une plaque de cuisson. Faire gratiner au four à la position « gril » (*broil*) de 2 à 3 minutes.

COLLATION DE L'APRÈS-MIDI

1 petit contenant de yogourt grec à la vanille 0 % de 100 g

QUANTITÉ : 1 portion

75 calories et 9 g de protéines

PAR PORTION		
TENEUR		VQ*
Calories	280	-
Protéines	25 g	-
M.G.	18 g	-
Glucides	4 g	-
Fibres	1 g	4 %
Fer	1 mg	7 %
Calcium	39 mg	4 %
Sodium	296 mg	12 %

* VQ = valeur quotidienne

SAMEDI SOUPER

Tartare aux deux saumons

PRÉPARATION **20 MINUTES** / QUANTITÉ **4 PORTIONS**

Accompagnez votre tartare des légumes de votre choix. Découvrez nos idées recettes aux pages 220 et 221 !

- 250 g (environ ½ lb) de saumon très frais, la peau enlevée
- 1 paquet de saumon fumé de 120 g
- 30 ml (2 c. à soupe) de yogourt grec nature 0 %
- 15 ml (1 c. à soupe) de câpres hachées
- 30 ml (2 c. à soupe) d'échalotes sèches (françaises) hachées
- 30 ml (2 c. à soupe) d'aneth haché
- 30 ml (2 c. à soupe) de persil haché
- 15 ml (1 c. à soupe) de jus de citron
- 15 ml (1 c. à soupe) d'huile d'olive
- 60 ml (¼ de tasse) de pistaches hachées
- 1,25 ml (¼ de c. à thé) de piment d'Espelette
- Sel au goût

1. Couper le saumon frais et le saumon fumé en petits dés. Réserver au frais.

2. Dans un bol, mélanger le yogourt avec les câpres, les échalotes, les fines herbes, le jus de citron, l'huile, les pistaches et le piment d'Espelette. Saler.

3. Ajouter les dés de saumon dans le bol. Remuer délicatement.

4. Déposer un emporte-pièce de 7,5 cm (3 po) de diamètre dans une assiette. Remplir de tartare et presser avec le dos d'une cuillère pour égaliser la surface. Démouler délicatement. Répéter afin de former les autres portions.

Un tartare de saumon, c'est vraiment mon mets préféré ! Habituellement, je l'accompagne de frites, mais c'est tellement bon, que même avec une salade, c'est exquis !

– Caty

PAR PORTION		
TENEUR		VQ*
Calories	122	-
Protéines	4 g	-
M.G.	7 g	-
Glucides	14 g	-
Fibres	1 g	5 %
Fer	1 mg	6 %
Calcium	57 mg	5 %
Sodium	12 mg	1 %

*VQ = valeur quotidienne

SAMEDI DESSERT

Mousse au chocolat au tofu

PRÉPARATION 15 MINUTES / QUANTITÉ 8 VERRINES

- 150 g (1/3 de lb) de chocolat mi-sucré
- 1 bloc de tofu mou soyeux nature (de type Sunrise) de 300 g
- 125 ml (1/2 tasse) de yogourt grec nature 2 %
- 5 ml (1 c. à thé) de vanille

1. Dans un bain-marie, faire fondre le chocolat. Incorporer le tofu, le yogourt et la vanille.

2. Verser la préparation dans le contenant du mélangeur et émulsionner 1 minute, jusqu'à l'obtention d'une préparation lisse et onctueuse.

3. Répartir la mousse dans huit verrines.

« Totalement délicieux ! Tout le monde a adoré et personne n'a deviné la présence du tofu. »

– Caty

DIMANCHE DÉJEUNER

Smoothie dattes, banane et lait d'amandes

PRÉPARATION **5 MINUTES** / QUANTITÉ **1 PORTION**

PAR PORTION		
TENEUR		**VQ***
Calories	361	-
Protéines	14 g	-
M.G.	6 g	-
Glucides	72 g	-
Fibres	10 g	40 %
Fer	2 mg	12 %
Calcium	704 mg	64 %
Sodium	258 mg	11 %

* VQ = valeur quotidienne

- 250 ml (1 tasse) de lait d'amandes nature
- 125 ml (½ tasse) de yogourt nature 0 %
- 60 ml (¼ de tasse) de dattes (Medjool de préférence) dénoyautées hachées
- 15 ml (1 c. à soupe) de graines de chia
- 1 banane

1. Dans le contenant du mélangeur, déposer tous les ingrédients. Émulsionner de 1 à 2 minutes, jusqu'à l'obtention d'une texture homogène.

2. Si le smoothie est trop liquide, ajouter un peu de yogourt. S'il n'est pas assez liquide, ajouter un peu de lait d'amandes.

COLLATION DU MATIN

1 fromage effilochable (de type Ficello) et 80 ml (⅓ de tasse) de raisins rouges

QUANTITÉ : 1 portion

91 calories et 5 g de protéines

PAR PORTION		
TENEUR		VQ*
Calories	335	-
Protéines	19 g	-
M.G.	15 g	-
Glucides	30 g	-
Fibres	2 g	8 %
Fer	3 mg	21 %
Calcium	141 mg	13 %
Sodium	675 mg	28 %

* VQ = valeur quotidienne

DIMANCHE DÎNER-BRUNCH

Mini-quiches tortillas

PRÉPARATION **15 MINUTES** / CUISSON **20 MINUTES** / QUANTITÉ **4 MINI-QUICHES**

- 4 tortillas de 18 cm (7 po)
- 250 ml (1 tasse) de poireau haché
- 250 ml (1 tasse) de jambon coupé en dés
- ½ oignon haché
- 3 œufs
- 100 g (3 ½ oz) de fromage de chèvre à pâte molle (de type Capriny)
- 80 ml (⅓ de tasse) de lait 2 %
- Sel et poivre au goût

1. Préchauffer le four à 190 °C (375 °F).

2. Huiler quatre alvéoles d'un moule à muffins. Déposer une tortilla dans chacune des quatre alvéoles et les façonner de manière à ce qu'elles épousent la forme du moule.

3. Dans un bol, mélanger le poireau avec le jambon et l'oignon.

4. Dans un autre bol, fouetter les œufs avec le fromage de chèvre et le lait. Saler et poivrer. Ajouter la préparation au poireau et remuer.

5. Remplir les tortillas de la préparation aux œufs.

6. Cuire au four de 20 à 25 minutes, jusqu'à ce que les œufs soient pris.

PAR PORTION		
TENEUR		VQ*
Calories	134	-
Protéines	6 g	-
M.G.	8 g	-
Glucides	15 g	-
Fibres	6 g	26 %
Fer	2 mg	12 %
Calcium	70 mg	6 %
Sodium	250 mg	10 %

*VQ = valeur quotidienne

DIMANCHE COLLATION DE L'APRÈS-MIDI

Popcorn de chou-fleur

PRÉPARATION **10 MINUTES** / CUISSON **8 MINUTES** / QUANTITÉ **4 PORTIONS**

- 1 chou-fleur blanc coupé en petits bouquets
- 1 chou-fleur jaune coupé en petits bouquets
- 30 ml (2 c. à soupe) d'huile d'olive
- 10 ml (2 c. à thé) de paprika
- 2,5 ml (½ c. à thé) de sel d'ail
- 2,5 ml (½ c. à thé) de poudre d'oignons
- Sel et poivre au goût

1. Dans un bol, mélanger les bouquets de choux-fleurs avec l'huile, le paprika, le sel d'ail et la poudre d'oignons. Saler et poivrer.

2. Étaler la préparation sur une plaque de cuisson tapissée de papier d'aluminium. Cuire au four de 8 à 10 minutes à la position « gril » (*broil*), en remuant de temps en temps, jusqu'à ce que le chou-fleur soit doré. Servir immédiatement.

PAR PORTION		
TENEUR		VQ*
Calories	337	-
Protéines	30 g	-
M.G.	13 g	-
Glucides	25 g	-
Fibres	3 g	11 %
Fer	3 mg	25 %
Calcium	73 mg	7 %
Sodium	456 mg	19 %

*VQ = valeur quotidienne

DIMANCHE SOUPER

Rôti de palette de bœuf, sauce balsamique-érable à la mijoteuse

Total de l'assiette : 445 calories

PRÉPARATION **15 MINUTES** / CUISSON **8 HEURES** / QUANTITÉ **DE 8 À 10 PORTIONS**

- 12 carottes pelées
- 3 oignons coupés en rondelles épaisses
- 1 rôti de palette de bœuf avec os de 1,5 kg (3 ⅓ lb)
- 30 ml (2 c. à soupe) d'huile d'olive
- Sel et poivre au goût
- 125 ml (½ tasse) de sirop d'érable
- 80 ml (⅓ de tasse) de vinaigre balsamique
- 125 ml (½ tasse) de bouillon de bœuf
- 30 ml (2 c. à soupe) de moutarde de Dijon
- 30 ml (2 c. à soupe) de sauce soya réduite en sodium

1. Dans la mijoteuse, déposer les carottes et les rondelles d'oignons.

2. Parer le rôti en retirant l'excédent de gras.

3. Dans une poêle, chauffer l'huile à feu moyen. Saisir le rôti 2 minutes de chaque côté. Déposer le rôti dans la mijoteuse. Saler et poivrer.

4. Dans un bol, mélanger le sirop d'érable avec le vinaigre balsamique, le bouillon de bœuf, la moutarde de Dijon et la sauce soya. Verser sur le rôti.

5. Couvrir et cuire de 8 à 10 heures à faible intensité, jusqu'à ce que la viande se défasse à la fourchette.

« La viande est délicieusement tendre et savoureuse, et les légumes ont un petit goût sucré. Un délice ! »

– Caty

EN ACCOMPAGNEMENT

Purée de pommes de terre et panais au parmesan

QUANTITÉ : de 8 à 10 portions

PAR PORTION : 108 calories ; protéines 3 g ; matières grasses 4 g ; glucides 15 g ; fibres 2 g (6 % VQ) ; fer 1 mg (4 % VQ) ; calcium 76 mg (7 % VQ) ; sodium 88 mg (4 % VQ)
VQ = valeur quotidienne

Peler et couper en cubes 4 pommes de terre et 2 panais. Déposer dans une casserole et couvrir d'eau froide salée. Porter à ébullition à feu moyen, puis cuire jusqu'à tendreté. Égoutter et réduire en purée avec 125 ml (½ tasse) de lait 2 % chaud, 60 ml (¼ de tasse) de parmesan râpé, 30 ml (2 c. à soupe) de beurre et 15 ml (1 c. à soupe) d'ail haché. Saler et poivrer.

Mon bilan de la semaine 3

Nouvelle semaine : nouveau programme ! Ça y est, je viens de découvrir encore des nouveaux muscles ! Je ne suis pas très forte des bras, alors j'avoue que j'ai eu certaines courbatures au lendemain de mon premier entraînement de la 3e semaine.

ENTRAÎNEMENT SEMAINE 3

MINI-CIRCUIT 2

1 *Reverse fly* debout, tronc incliné
15 répétitions
MUSCLES CIBLÉS : dos

2 *Fly* au sol, jambes soulevées et genoux fléchis
15 répétitions
MUSCLES CIBLÉS : pectoraux et abdominaux

3 Chassé latéral avec touché au sol (aller-retour)
10 répétitions
EXERCICE CARDIO

MINI-CIRCUIT 3

1 Fentes latérales alternées avec saut
10 répétitions
MUSCLES CIBLÉS : jambes

Merci de me soutenir, mon amour !

Faire entrer de 30 à 45 minutes d'exercices dans mon horaire déjà ultra-chargé, c'est un véritable défi ! Sans compter tout le temps nécessaire à la préparation de mes lunchs, de mes collations et de tous les autres repas... Par chance, j'ai un compagnon A-DO-RA-BLE ! Il s'occupe des enfants pendant que je fais mes exercices, m'aide à préparer les repas et surtout, il m'encourage ! C'est vraiment important pour relever un pareil défi !

« Je rentre dans mes leggings en similicuir ! »

Ce matin, je suis descendue « magasiner » dans ma garde-robe en cèdre. J'y avais rangé certains vêtements qui ne me faisaient plus, dont des leggings en similicuir, idéals pour une sortie de filles. Yé, ils me font !

THÉ OU CAFÉ ?

Café : un le matin, cappucino avec lait écrémé et ½ sucre brun. C'est mon petit plaisir, et Charlotte est d'accord ! Je sais toutefois que le thé vert est une meilleure option. On lui attribuerait des vertus intéressantes pour la perte de poids, car il aiderait à augmenter la dépense énergétique.

Je pète le feu !

Je n'ai jamais été aussi en forme de toute ma vie ! J'ai tellement d'énergie, on dirait que j'ai des ailes dans le dos ! Wow !

Pourquoi faut-il couper les féculents ?

Dans la plupart des programmes de gestion de poids – et celui-ci ne fait pas exception –, on nous recommande de limiter les féculents, comme le pain, les céréales, etc. Pourquoi ?

« Le principal rôle des féculents est de répondre à nos besoins en énergie en fournissant du glucose à l'organisme. Il ne faut pas s'en priver, car le manque de glucides peut entraîner des rages de sucre. Cependant, il faut en consommer modérément : si on absorbe trop d'énergie, le corps dirigera ces molécules dans notre sang. Puisqu'on ne peut maintenir un taux de glucose trop élevé, soit le corps le dépense lors d'une activité physique, soit il envoie le surplus vers le foie où il sera transformé en gras. C'est là qu'il y a prise de poids. »

— Charlotte

Ma récompense de la semaine : ***marcher en forêt***

Ce weekend, j'ai eu la chance d'être invitée au chalet de ma sœur, situé en plein cœur de la forêt. J'y allais un peu à reculons, car je me demandais bien comment j'allais faire pour faire mes 10 000 pas dans un espace aussi restreint. Et pourtant ! Ma sœur m'a accompagnée et j'ai fait la plus belle marche de mon défi ! Marcher en forêt, en jasant de tout et de rien avec ma sœur, quel bonheur ! Un petit plaisir qui m'a permis de faire 13 211 pas et de brûler 2 155 calories dans ma journée !

ENTRAÎNEMENT SEMAINE 4

Entraînement semaine 4

CIRCUIT (25 MINUTES)

Cette semaine, on reprend les exercices effectués au cours des semaines précédentes en cinq circuits. Chaque circuit contient un exercice cardio, de un à deux exercices pour les jambes, de un à deux exercices pour le haut du corps et de un à deux exercices pour les abdominaux. On tonifie le corps au complet : on est prêt pour le découpage final ! On enchaîne les circuits les uns après les autres, en prenant 1 minute de repos entre chacun d'eux.

Jours	Programme d'entraînement
Lundi	Jour de circuit
Mardi	Exercice cardiovasculaire au choix d'intensité faible à modérée – 30 minutes *
Mercredi	Jour de circuit
Jeudi	Repos actif (cumuler au moins 10 000 pas)
Vendredi	Jour de circuit
Samedi	Exercice cardiovasculaire au choix d'intensité faible à modérée – 30 minutes *
Dimanche	Repos actif (cumuler au moins 10 000 pas)

* Exemples : vélo, marche rapide, jogging léger, cours de groupe, DVD...

« Ici, on recherche une intensité modérée à intense. On utilise des poids suffisamment lourds pour que les dernières répétitions soient difficiles à terminer. Votre capacité à soutenir un effort devrait s'être améliorée depuis votre première semaine. Si certains exercices vous apparaissent désormais plus faciles à exécuter, c'est une bonne nouvelle ! Il vous faut alors hausser l'intensité. C'est pourquoi je vous propose des options d'intensité plus élevée cette semaine. » – Karine

Pour les exercices avec poids, utiliser des poids de 3 à 5 lb minimum, idéalement de 5 lb.

On s'échauffe !

Voir les exercices complets et les indications aux pages 32 à 34.

Grandes fentes latérales alternées

Simulation de saut à la corde

Genoux levés alternés (sans saut)

Talons aux fesses

Grandes fentes arrière alternées

CIRCUIT 1

EXERCICE CARDIO

1 Jogging sur place talons aux fesses avec mouvements de bras alternés

30 répétitions

POSITION DE DÉPART : debout, pieds écartés à la largeur des épaules, les coudes fléchis, un poids entre les mains (une extrémité dans chaque main) sous le menton.

- Jogger sur place en allant porter les talons sur les fesses. Simultanément, allonger les bras vers l'avant, les ramener vers la poitrine, puis les monter dans les airs au-dessus de la tête. Continuer de jogger sur place tout en enchaînant les mouvements avec les bras.

POUR PLUS D'INTENSITÉ : accélérer la vitesse.

2 *Squat* double et *military press* avec genou levé alterné

20 répétitions

MUSCLES CIBLÉS : jambes et épaules

POSITION DE DÉPART : debout, le dos droit, les jambes à la largeur des épaules, les bras levés, coudes fléchis à 90 degrés, un poids dans chaque main à la hauteur des oreilles.

- Fléchir les jambes en poussant les fesses vers l'arrière et s'arrêter lorsque les genoux forment un angle de 90 degrés.
- Revenir à la position initiale en contractant les fesses. Refaire un *squat*, puis une fois de retour en position initiale, monter les bras dans les airs tout en levant un genou. Revenir en position initiale et poursuivre la séquence en alternant les genoux.

OPTION MOINS INTENSE :
ne pas lever le genou.
Voir l'exercice détaillé à la page 35.

3 *Push-up* et rotation en planche latérale avec extension du bras alternée

14 répétitions

MUSCLES CIBLÉS : pectoraux, bras et abdominaux

POSITION DE DÉPART : au sol, en position de *push-up* sur les pieds, dos droit, bras tendus en appui sur les poids tenus en mains.

- Baisser le haut du corps par flexion des bras. Les jambes ne bougent pas et le nez frôle presque le sol. Revenir en position initiale.
- Effectuer une rotation du corps vers la droite pour adopter une position de planche latérale. Simultanément, lever le bras droit dans les airs jusqu'à ce qu'il soit en ligne droite avec le bras au sol. Revenir en position initiale. Continuer la série en alternance.

OPTION MOINS INTENSE :
faire l'exercice sur les genoux.
Voir l'exercice détaillé à la page 37.

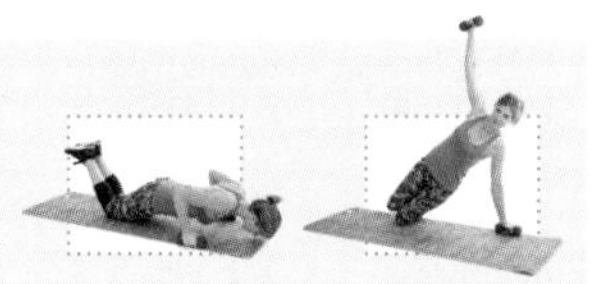

4

Crunch jambes allongées à la verticale avec extension des bras

20 répétitions

MUSCLES CIBLÉS : abdominaux et triceps

POSITION DE DÉPART : au sol, sur le dos, jambes relevées à la verticale, coudes pliés de chaque côté de la tête, un poids dans chaque main.

- Déplier les bras à la verticale. À l'aide des abdominaux, soulever graduellement le haut de la colonne jusqu'à ce que les omoplates ne touchent plus le sol. Les jambes ne bougent pas et la tête suit le mouvement. Revenir à la position initiale et recommencer.

POUR PLUS D'INTENSITÉ : augmenter la charge des poids.

5

Mountain climber alterné (devant et en croisé)

3 x 10 répétitions devant et 10 répétitions en croisé

MUSCLES CIBLÉS : abdominaux

POSITION DE DÉPART : au sol, en position de *push-up*, en appui sur les orteils et les mains. La tête, le dos et les fesses doivent former une ligne droite.

- Avancer un genou devant vers le coude du même côté et revenir en position initiale, puis faire de même avec l'autre genou. Continuer en alternance dix fois.
- Avancer un genou en croisé vers le coude opposé en faisant une légère torsion du bassin. La tête suit le mouvement. Revenir en position initiale et avancer l'autre genou vers le coude opposé. Poursuivre la séquence en alternance pour un total de dix répétitions.
- Reprendre les deux séquences deux autres fois.

POUR PLUS D'INTENSITÉ : accélérer la vitesse d'exécution sans modifier la position du dos.

CIRCUIT 2

EXERCICE CARDIO

1

Chassé latéral touché au sol (aller-retour) avec saut

30 répétitions (ou 15 aller-retour)

POSITION DE DÉPART : debout, les pieds joints, les bras le long du corps.

- Faire trois petits pas rapides vers la droite et fléchir les jambes pour toucher le sol avec la main droite (un peu plus loin à l'extérieur du pied droit). Le talon du pied gauche ne touche pas le sol. Effectuer un saut explosif à la verticale.
- Faire trois petits pas rapides vers la gauche et fléchir les jambes pour toucher le sol avec la main gauche (un peu plus loin à l'extérieur du pied gauche). Le talon du pied droit ne touche pas le sol. Effectuer un saut explosif à la verticale. Poursuivre la séquence.

OPTION MOINS INTENSE :
ne pas faire de saut.
Voir l'exercice détaillé à la page 127.

2

Fente arrière genou levé avec saut et flexion des coudes

15 répétitions de chaque côté

MUSCLES CIBLÉS : jambes et biceps

POSITION DE DÉPART : debout, les pieds à la largeur des hanches, les bras le long du corps, un poids dans chaque main.

- Faire un grand pas derrière avec une jambe, puis descendre en fléchissant le genou avant à 90 degrés (le genou de la jambe avant doit être aligné avec la cheville).
- Déplacer la jambe de derrière vers l'avant en sautant et en levant le genou jusqu'à un angle de 90 degrés. Simultanément, fléchir les coudes vers les épaules. Ramener la jambe derrière et les bras le long du corps. Terminer la série, puis faire de même de l'autre côté.

OPTION MOINS INTENSE :
ne pas faire de saut.
Voir l'exercice détaillé à la page 38.

3

Sumo *squat* mains à la tête avec genou levé latéralement alterné

10 répétitions de chaque côté

MUSCLES CIBLÉS: jambes

POSITION DE DÉPART: debout, pieds écartés au double de la largeur du bassin et orientés vers l'extérieur, coudes ouverts, mains derrière la tête, poids dans les mains.

- Fléchir les jambes en gardant le dos droit jusqu'à ce que les genoux forment un angle de 90 degrés. Les genoux ne doivent pas dépasser les orteils.
- Revenir en position debout en levant un genou latéralement. Effectuer une flexion latérale du tronc en approchant le coude du genou.
- Revenir en position initiale. Poursuivre en alternance.

4

Pont et *fly* avec jambe soulevée

10 répétitions de chaque côté

MUSCLES CIBLÉS: fessiers et pectoraux

POSITION DE DÉPART: au sol, sur le dos, genoux fléchis, pieds au sol, bras en croix, un poids dans chaque main.

- Allonger une jambe en gardant les cuisses parallèles et soulever le bassin tout en déplaçant les poids dans les airs vis-à-vis de la poitrine. Les bras restent tendus et sont alignés avec les épaules. Ramener les bras en croix et poursuivre la séquence. Revenir en position initiale et répéter avec l'autre jambe.

5

Boîte avec extension des jambes et des bras

14 répétitions

MUSCLES CIBLÉS: abdominaux

POSITION DE DÉPART: au sol, sur le dos, bras qui pointent vers le plafond alignés avec les épaules, un poids dans chaque main, jambes à la verticale légèrement inclinées vers les bras.

- Effectuer une extension des bras et des jambes en même temps en prenant soin de garder le bas du dos plaqué contre le sol. Revenir en position initiale, puis poursuivre la série.

OPTION MOINS INTENSE:
descendre un bras et la jambe opposée simultanément, un côté à la fois.
Voir l'exercice détaillé à la page 132.

CIRCUIT 3

1

Tendus latéraux alternés avec sauts pieds joints

14 répétitions

EXERCICE CARDIO

POSITION DE DÉPART : debout, les pieds joints, les bras le long du corps.

- Effectuer une flexion de la jambe droite en allant porter la jambe gauche sur le côté et toucher le sol avec la main gauche.
- Sauter de façon à répéter le mouvement de l'autre côté.
- Relever le corps et utiliser la force des jambes pour sauter pieds joints trois fois, bras pointés vers le plafond. Répéter la séquence en commençant les tendus latéraux en portant la main droite devant le pied gauche. Poursuivre en alternance.

OPTION MOINS INTENSE :
ne faire qu'un seul saut.

2

Fente arrière avec élévation de la jambe arrière et saut

10 répétitions de chaque côté

MUSCLES CIBLÉS : jambes

POSITION DE DÉPART : debout, les pieds à la largeur des hanches, les bras le long du corps, un poids dans chaque main.

- Faire un grand pas derrière avec une jambe, puis descendre en fléchissant le genou avant à 90 degrés. Le genou de la jambe avant doit être aligné avec la cheville.
- Propulser le corps vers l'avant en dépliant la jambe avant et en mettant le poids sur cette dernière. Simultanément, soulever la jambe arrière et effectuer un petit saut. Le genou de la jambe de support demeure légèrement fléchi, le dos est droit et les abdominaux sont contractés. Revenir à la position de fente. Les bras demeurent immobiles. Terminer la série et faire de même de l'autre côté.

OPTION MOINS INTENSE :
ne pas faire de saut.
Voir l'exercice détaillé à la page 124.

3

Élévation des bras en V et devant

15 répétitions

MUSCLES CIBLÉS: épaules

POSITION DE DÉPART: debout, les pieds joints, un poids dans chaque main, paumes tournées vers l'avant.

- Lever les bras en V jusqu'à la hauteur des épaules, puis les redescendre.
- Tourner les paumes vers l'arrière, lever les bras (tendus) devant le corps jusqu'à la hauteur des épaules, puis les redescendre. Ne pas casser les poignets.
- Tourner les paumes vers l'avant et poursuivre la série en alternance.

POUR PLUS D'INTENSITÉ: augmenter la charge des poids.

4

Reverse fly debout, tronc incliné

15 répétitions

MUSCLES CIBLÉS: dos

POSITION DE DÉPART: debout, les pieds joints, le tronc incliné vers l'avant, un poids dans chaque main.

- Ouvrir les bras jusqu'à ce que les poids arrivent à la hauteur des épaules. Rapprocher les omoplates l'une de l'autre et maintenir la contraction 1 seconde. Revenir en position initiale et continuer la séquence.

POUR PLUS D'INTENSITÉ: augmenter la charge des poids.

5

Bascule du bassin jambes fléchies avec extension des jambes

15 répétitions

MUSCLES CIBLÉS: abdominaux

POSITION DE DÉPART: au sol, sur le dos, genoux pliés à 90 degrés, bras tendus dans les airs un poids entre les mains (une extrémité dans chaque paume).

- D'un mouvement de bascule du bassin, tirer les genoux vers la poitrine, puis allonger complètement les jambes de manière à rapprocher les talons du sol et en prenant soin de garder le bas du dos plaqué contre le sol. Les bras restent en place.
- Revenir en position initiale et poursuivre la série.

OPTION MOINS INTENSE: allonger les jambes à la diagonale. Voir l'exercice détaillé à la page 40.

CIRCUIT 4

EXERCICE CARDIO

1

Sauts latéraux (patinage de vitesse) avec touchés au sol

60 répétitions
(ou 30 aller-retour)

POSITION DE DÉPART : debout, le dos droit, les jambes à la largeur des épaules, les bras le long du corps.

- Effectuer de grands sauts en voyageant latéralement d'un pied à l'autre. Fléchir le genou pour absorber l'impact au moment de l'atterrissage. Balancer les bras simultanément tout en allant toucher le sol de chaque côté.

OPTION MOINS INTENSE :
ne pas toucher le sol.
Voir l'exercice détaillé à la page 87.

2

Extension des coudes en position équilibre sur une jambe fléchie, tronc incliné devant

10 répétitions de chaque côté

MUSCLES CIBLÉS : triceps et jambes

POSITION DE DÉPART : debout, les pieds joints, le tronc légèrement incliné vers l'avant, les bras de chaque côté du corps, coudes fléchis à 90 degrés, un poids dans chaque main.

- Basculer le tronc vers l'avant tout en levant une jambe vers l'arrière et en étirant les bras dans cette même direction. Fléchir la jambe de support. Fléchir les bras et répéter le mouvement de bras en gardant la jambe soulevée derrière. Poursuivre la séquence jusqu'à 10 répétitions.
- Répéter l'exercice avec l'autre jambe.

OPTION MOINS INTENSE :
ne pas fléchir la jambe de support.
Voir l'exercice détaillé à la page 131.

3

Pont sur une jambe avec flexion de la jambe

10 répétitions de chaque côté

MUSCLES CIBLÉS : fessiers

POSITION DE DÉPART : au sol, sur le dos, genoux fléchis, pieds au sol, bras le long du corps.

- Déplacer un genou vers la poitrine et le tenir avec une main. L'autre main tient un poids et est sur la hanche opposée.
- Soulever le bassin en contractant les fesses et tirer sur le genou levé. Seuls la tête, les épaules et le pied opposé touchent le sol.
- Descendre le bassin et effleurer les fesses au sol, puis terminer la série avec cette jambe.
- Répéter l'exercice avec l'autre jambe.

OPTION MOINS INTENSE :
ne pas utiliser de poids et tenir le genou à deux mains.
Voir l'exercice détaillé à la page 128.

4

Extension de la jambe à quatre pattes

10 répétitions de chaque côté

MUSCLES CIBLÉS : lombaires

POSITION DE DÉPART : à quatre pattes au sol, une main vis-à-vis de la tête à la hauteur de l'oreille.

- Étirer la jambe opposée au bras levé vers l'arrière. Avancer le genou vers le coude de la main avec poids et, simultanément, descendre le coude vers ce genou afin que les deux se touchent. Terminer la série et faire de même de l'autre côté.

OPTION MOINS INTENSE :
effectuer seulement une extension de la jambe en gardant les deux mains au sol.
Voir l'exercice détaillé à la page 129.

5

Crunch papillon

15 répétitions

MUSCLES CIBLÉS : abdominaux et dos

POSITION DE DÉPART : au sol, sur le dos, jambes relevées, plante de pied contre plante de pied, bras allongés à la verticale, un poids entre les mains (une extrémité dans chaque main)

- Porter les bras derrière la tête et, simultanément, tendre les jambes et les descendre à quelques centimètres du sol en prenant soin de garder le bas du dos plaqué contre le sol.
- Ramener les bras en soulevant le haut du corps et en contractant les abdominaux pour aller toucher les pieds avec les mains.
- Revenir en position initiale et continuer la séquence pour terminer la série.

OPTION MOINS INTENSE : au moment d'étirer les bras vers l'arrière, garder les jambes relevées, plante de pied contre plante de pied. Voir l'exercice détaillé à la page 132.

CIRCUIT 5

1

Grand plié avec saut

20 répétitions

POSITION DE DÉPART : debout, pieds joints, corps droit, bras collés au torse, coudes pliés à 90 degrés.

- Sauter en écartant les pieds latéralement et en levant les bras jusqu'à la hauteur des épaules, puis adopter la position du grand plié en fléchissant les genoux à un angle de 90 degrés et en ramenant les bras devant soi, coudes toujours pliés. Sauter pour reprendre la position initiale et poursuivre la séquence sans arrêt.

EXERCICE CARDIO

2

Fentes latérales alternées avec saut et bras allongés

10 répétitions de chaque côté

MUSCLES CIBLÉS : jambes

POSITION DE DÉPART : debout, pieds joints, coudes fléchis, poids en mains plaqués sur la poitrine.

- Effectuer un grand pas latéral vers la droite en fléchissant le genou droit à 90 degrés. Celui-ci ne dépasse pas les orteils. Le tronc est incliné, avec les fesses loin derrière. Les bras pointent vers le sol de chaque côté du genou droit et la jambe gauche est allongée. Revenir debout à la position initiale et effectuer un saut sur place, en allongeant le bras au dessus de la tête (style *military press*).
- Effectuer un grand pas latéral vers la gauche en fléchissant le genou gauche à 90 degrés. Celui-ci ne dépasse pas les orteils. Le tronc est incliné, avec les fesses loin derrière. Les bras pointent vers le sol de chaque côté du genou gauche et la jambe droite est allongée. Revenir debout à la position initiale et effectuer un saut sur place en allongeant les bras au-dessus de la tête.
- Continuer la série en alternance.

OPTION MOINS INTENSE :
ne pas lever les bras en sautant.
Voir l'exercice détaillé à la page 127.

3

Planche latérale sur avant-bras et pieds, abduction jambe droite

15 répétitions

MUSCLES CIBLÉS : abdominaux

POSITION DE DÉPART : couché sur le côté gauche, en appui sur l'avant-bras gauche, le coude directement sous l'épaule, jambes allongées.

- Soulever le bassin en s'appuyant sur les pieds et sur l'avant-bras qui est au sol et en contractant les abdominaux. Le tronc et la tête sont en ligne droite avec les jambes.
- Lever la jambe du dessus jusqu'à la hauteur des épaules environ, puis la redescendre au sol. Déposer la hanche au sol. Terminer la série.

4 Planche latérale sur avant-bras et pieds, soulèvement jambe gauche

15 répétitions

MUSCLES CIBLÉS : abdominaux

POSITION DE DÉPART : couché sur le côté droit, en appui sur l'avant-bras droit, le coude directement sous l'épaule, jambes allongées.

- Soulever le bassin en s'appuyant sur les pieds et sur l'avant-bras qui est au sol et en contractant les abdominaux. Le tronc et la tête sont en ligne droite avec les jambes.
- Lever la jambe du dessus jusqu'à la hauteur des épaules environ et la redescendre au sol. Déposer la hanche au sol. Terminer la série.

OPTION MOINS INTENSE :
rester en appui sur les genoux.
Voir l'exercice détaillé à la page 39.

5 *Mountain climber* alterné (devant et en croisé)

3 x 10 répétitions devant et 10 répétitions en croisé

MUSCLES CIBLÉS : abdominaux

POSITION DE DÉPART : au sol, en position de *push-up*, en appui sur les orteils et les mains. La tête, le dos et les fesses doivent former une ligne droite

- Avancer un genou devant vers le coude du même côté et revenir en position initiale, puis faire de même avec l'autre genou. Continuer en alternance dix fois.
- Avancer un genou en croisé vers le coude opposé en faisant une légère torsion du bassin. La tête suit le mouvement. Revenir en position initiale et avancer l'autre genou vers le coude opposé. Poursuivre la séquence en alternance pour un total de dix répétitions.
- Reprendre les deux séquences deux autres fois.

POUR PLUS D'INTENSITÉ : accélérer la vitesse d'exécution sans modifier la position du dos.

On s'étire !

Voir les exercices complets et les indications aux pages 41 à 43.

Cobra

Chien tête baissée

Étirement des ischio-jambiers

Étirement des mollets

Étirement des fléchisseurs de la hanche

Étirement des fessiers

Coquille

Menu semaine 4

LUNDI

1463 CALORIES

DÉJEUNER
Smoothie framboises et tofu avec 30 ml (2 c. à soupe) de graines de citrouille

COLLATION DU MATIN
1 galette à la citrouille

DÎNER
Salade d'orzo, asperges et poulet grillé

COLLATION DE L'APRÈS-MIDI
1 fromage effilochable

SOUPER
Boulettes de veau sur riz de chou-fleur

MARDI

1210 CALORIES

DÉJEUNER
Gruau raisins, cannelle et graines de chia

COLLATION DU MATIN
1 fromage effilochable et 1 pêche

DÎNER
Wrap à la dinde et houmous

COLLATION DE L'APRÈS-MIDI
1 petit contenant de yogourt grec à la vanille 0 % de 100 g

SOUPER
Sauté de légumineuses tikka masala

MERCREDI

1239 CALORIES

DÉJEUNER
1 muffin-déjeuner aux carottes avec 1 yogourt grec à la vanille 0 % de 100 g

COLLATION DU MATIN
125 ml (½ tasse) de boisson de soya à la vanille et 30 ml (2 c. à soupe) de noix

DÎNER
Salade de riz au tofu + 125 ml (½ tasse) de compote de pommes non sucrée

COLLATION DE L'APRÈS-MIDI
125 ml (½ tasse) de fromage cottage 1 % avec 10 ml (2 c. à thé) de miel

SOUPER
Sauté de porc, choux de Bruxelles et pommes

JEUDI

1319 CALORIES

DÉJEUNER
Parfait protéiné aux petits fruits

COLLATION DU MATIN
1 galette à la citrouille

DÎNER
Salade tex-mex en pot Mason

COLLATION DE L'APRÈS-MIDI
23 amandes

SOUPER
Crevettes poêlées aux mandarines et légumes asiatiques

VENDREDI

1488 CALORIES

DÉJEUNER
Œuf poché et rôtie

COLLATION DU MATIN
15 ml (1 c. à soupe) de canneberges séchées et 30 ml (2 c. à soupe) de noix

DÎNER
Potage de chou-fleur et pois chiches grillés

COLLATION DE L'APRÈS-MIDI
1 petit contenant de yogourt grec à la vanille 0 % de 100 g

SOUPER
Burger de truite saumonée avec crudités

SAMEDI

1369 CALORIES

DÉJEUNER
1 muffin-déjeuner aux carottes

COLLATION DU MATIN
Verrine de pouding de graines de chia et fraises

DÎNER
Casserole gratinée de légumes au saumon fumé

COLLATION DE L'APRÈS-MIDI
30 ml (2 c. à soupe) de houmous du commerce avec crudités

SOUPER
Pétoncles grillés, sauce vierge avec purée de patates douces et asperges

DESSERT
Crème brûlée au chocolat noir et zeste d'orange

DIMANCHE

1563 CALORIES

DÉJEUNER
Bol-déjeuner au quinoa

COLLATION DU MATIN
Smoothie épinards-orange

DÎNER-BRUNCH
Crêpe farcie à l'omelette et fromage suisse avec salade pomme et noix

COLLATION DE L'APRÈS-MIDI
125 ml (½ tasse) de compote de pommes non sucrée

SOUPER
Escalopes de poulet, sauce échalotes et bacon avec salade de bébés épinards

DESSERT
Blanc-manger

Smoothie framboises et tofu

PRÉPARATION 5 MINUTES / QUANTITÉ 4 PORTIONS

PAR PORTION		
TENEUR		VQ*
Calories	160	-
Protéines	7 g	-
M.G.	5 g	-
Glucides	25 g	-
Fibres	4 g	16 %
Fer	1 mg	9 %
Calcium	81 mg	7 %
Sodium	8 mg	0,3 %

* VQ = valeur quotidienne

- 1 bloc de tofu mou soyeux nature (de type Sunrise) de 300 g
- 250 ml (1 tasse) de framboises
- 250 ml (1 tasse) de jus d'orange
- 60 ml (¼ de tasse) de yogourt grec nature 0 %
- 30 ml (2 c. à soupe) de miel
- 30 ml (2 c. à soupe) de graines de lin moulues

1. Dans le contenant du mélangeur, déposer tous les ingrédients. Émulsionner de 30 secondes à 1 minute, jusqu'à l'obtention d'une texture homogène.

2. Si le smoothie est trop liquide, ajouter un peu de yogourt. S'il n'est pas assez liquide, ajouter un peu de jus d'orange.

EN ACCOMPAGNEMENT

30 ml (2 c. à soupe) de graines de citrouille rôties

QUANTITÉ : 1 portion

165 calories et 9 g de protéines

PAR PORTION		
TENEUR		VQ*
Calories	268	-
Protéines	7 g	-
M.G.	12 g	-
Glucides	36 g	-
Fibres	4 g	14 %
Fer	2 mg	13 %
Calcium	23 mg	2 %
Sodium	185 mg	8 %

*VQ = valeur quotidienne

LUNDI COLLATION DU MATIN

Galettes à la citrouille

PRÉPARATION 20 MINUTES / CUISSON 10 MINUTES / QUANTITÉ 12 GALETTES

- 310 ml (1 ¼ tasse) de farine de blé entier
- 2,5 ml (½ c. à thé) de bicarbonate de soude
- 250 ml (1 tasse) de flocons d'avoine à cuisson rapide
- 2,5 ml (½ c. à thé) de poudre à pâte
- 80 ml (⅓ de tasse) de beurre ramolli
- 80 ml (⅓ de tasse) de cassonade
- 80 ml (⅓ de tasse) de sucre
- 1 œuf battu
- 2,5 ml (½ c. à thé) de cannelle
- 2,5 ml (½ c. à thé) de vanille
- 1,25 ml (¼ de c. à thé) de gingembre moulu
- 250 ml (1 tasse) de purée de citrouille
- 125 ml (½ tasse) de canneberges séchées
- 125 ml (½ tasse) de graines de citrouille

1. Préchauffer le four à 180 °C (350 °F).

2. Dans un bol, mélanger la farine avec le bicarbonate de soude, les flocons d'avoine et la poudre à pâte.

3. Dans un autre bol, fouetter le beurre avec la cassonade et le sucre jusqu'à l'obtention d'une texture crémeuse.

4. Incorporer l'œuf battu, la cannelle, la vanille, le gingembre moulu et la purée de citrouille à la préparation au beurre.

5. Incorporer graduellement les ingrédients secs en alternant avec les canneberges séchées et les graines de citrouille.

6. Façonner des galettes en utilisant environ 30 ml (2 c. à soupe) de préparation pour chacune d'elles. Déposer les galettes sur une plaque de cuisson tapissée d'une feuille de papier parchemin en les espaçant de 5 cm (2 po).

7. Cuire au four de 10 à 12 minutes.

8. Retirer du four et laisser tiédir sur une grille. Ces galettes se conservent de 3 à 4 jours dans un contenant hermétique à température ambiante.

PAR PORTION		
TENEUR		VQ*
Calories	372	-
Protéines	33 g	-
M.G.	10 g	-
Glucides	37 g	-
Fibres	2 g	10 %
Fer	3 mg	19 %
Calcium	45 mg	4 %
Sodium	325 mg	14 %

* VQ = valeur quotidienne

LUNDI DÎNER

Salade d'orzo, asperges et poulet grillé

PRÉPARATION 15 MINUTES / CUISSON 12 MINUTES / QUANTITÉ 4 PORTIONS

- 250 ml (1 tasse) d'orzo
- 10 à 12 asperges coupées en morceaux
- 3 poitrines de poulet sans peau
- 15 ml (1 c. à soupe) d'assaisonnements grecs
- 15 ml (1 c. à soupe) d'huile d'olive
- 80 ml (1/3 de tasse) de vinaigrette grecque
- 1/4 d'oignon rouge coupé en dés
- 45 ml (3 c. à soupe) de persil haché

1. Dans une casserole d'eau bouillante salée, cuire l'orzo *al dente*. Ajouter les asperges dans la casserole 3 minutes avant la fin de la cuisson des pâtes. Rincer sous l'eau froide et égoutter.

2. Pendant ce temps, saupoudrer les poitrines d'assaisonnements grecs. Dans une poêle, chauffer l'huile à feu moyen. Cuire les poitrines de 6 à 8 minutes de chaque côté, jusqu'à ce que l'intérieur de la chair du poulet ait perdu sa teinte rosée. Laisser tiédir, puis émincer le poulet.

3. Dans un saladier, mélanger l'orzo et les asperges avec le poulet, la vinaigrette, l'oignon rouge et le persil.

COLLATION DE L'APRÈS-MIDI

1 fromage effilochable (de type Ficello)

QUANTITÉ : 1 portion

70 calories et 5 g de protéines

PAR PORTION		
TENEUR		VQ*
Calories	428	-
Protéines	32 g	-
M.G.	23 g	-
Glucides	28 g	-
Fibres	8 g	32 %
Fer	4 mg	25 %
Calcium	119 mg	11 %
Sodium	184 mg	8 %

* VQ = valeur quotidienne

LUNDI SOUPER

Boulettes de veau sur riz de chou-fleur

PRÉPARATION 30 MINUTES / CUISSON 15 MINUTES / QUANTITÉ 4 PORTIONS

- 30 ml (2 c. à soupe) d'huile d'olive
- 6 tomates coupées en dés
- 1 contenant de champignons de 227 g, coupés en quatre

POUR LES BOULETTES :

- 450 g (1 lb) de veau haché
- 45 ml (3 c. à soupe) de poudre d'amandes
- 45 ml (3 c. à soupe) d'échalotes sèches (françaises) hachées
- 45 ml (3 c. à soupe) de persil haché
- 15 ml (1 c. à soupe) de gingembre haché
- 10 ml (2 c. à thé) d'ail haché
- 1 œuf
- 1 carotte râpée
- 1 courgette râpée
- Sel de mer et poivre du moulin au goût

POUR LE RIZ DE CHOU-FLEUR :

- 1 chou-fleur
- 1 oignon haché
- 2 gousses d'ail hachées
- 30 ml (2 c. à soupe) de persil haché
- 30 ml (2 c. à soupe) de sarriette hachée
- Sel de mer et poivre du moulin au goût
- 30 ml (2 c. à soupe) de jus de citron

1. Dans un bol, mélanger les ingrédients des boulettes. Façonner 16 boulettes en utilisant environ 45 ml (3 c. à soupe) de préparation pour chacune d'elles.

2. Dans une poêle, chauffer la moitié de l'huile à feu moyen. Faire dorer les boulettes 3 minutes.

3. Ajouter les tomates et les champignons. Couvrir, porter à ébullition et cuire de 10 à 12 minutes à feu doux-moyen, jusqu'à ce que l'intérieur des boulettes ait perdu sa teinte rosée.

4. Couper le chou-fleur en bouquets. Déposer dans le contenant du robot culinaire. Donner quelques impulsions, jusqu'à l'obtention d'une texture granuleuse.

5. Dans une autre poêle, chauffer le reste de l'huile à feu moyen. Cuire l'oignon et l'ail de 1 à 2 minutes.

6. Ajouter le chou-fleur haché et les fines herbes. Saler et poivrer. Cuire de 3 à 4 minutes.

7. Au moment de servir, napper les boulettes de jus de citron. Servir avec le riz de chou-fleur.

PAR PORTION		
TENEUR		VQ*
Calories	410	-
Protéines	17 g	-
M.G.	14 g	-
Glucides	58 g	-
Fibres	9 g	38 %
Fer	3 mg	21 %
Calcium	355 mg	32 %
Sodium	92 mg	4 %

* VQ = valeur quotidienne

MARDI DÉJEUNER

Gruau raisins, cannelle et graines de chia

PRÉPARATION **10 MINUTES** / QUANTITÉ **1 PORTION**

- 125 ml (½ tasse) de flocons d'avoine à cuisson rapide
- 30 ml (2 c. à soupe) de raisins secs
- 15 ml (1 c. à soupe) de graines de chia
- 1,25 ml (¼ de c. à thé) de cannelle
- 15 ml (1 c. à soupe) de sucre d'érable
- 15 ml (1 c. à soupe) de poudre d'amandes
- 180 ml (¾ de tasse) de lait 2 %

1. Dans un bol, mélanger tous les ingrédients, à l'exception du lait.

2. Dans une casserole, verser le lait et ajouter le mélange d'ingrédients secs. Porter à ébullition à feu doux-moyen en remuant.

COLLATION DU MATIN

1 fromage effilochable (de type Ficello) et 1 pêche

QUANTITÉ : 1 portion

108 calories et 6 g de protéines

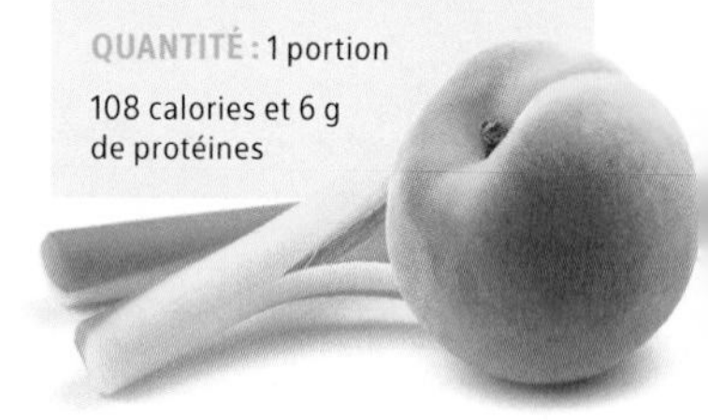

PAR PORTION		
TENEUR		VQ*
Calories	233	-
Protéines	17 g	-
M.G.	8 g	-
Glucides	26 g	-
Fibres	5 g	18 %
Fer	2 mg	13 %
Calcium	38 mg	4 %
Sodium	1 215 mg	51 %

* VQ = valeur quotidienne

MARDI DÎNER

Wrap à la dinde et houmous

PRÉPARATION 15 MINUTES / QUANTITÉ 4 PORTIONS

- ¼ de concombre anglais
- 1 poivron rouge
- 4 tortillas de blé entier de 18 cm (7 po)
- 125 ml (½ tasse) de houmous
- 12 tranches de dinde fumée
- 4 feuilles de laitue frisée verte ou romaine

1. Tailler le concombre et le poivron en bâtonnets.

2. Tartiner les tortillas de houmous. Garnir de tranches de dinde fumée, de feuilles de laitue ainsi que de bâtonnets de poivron et de concombre.

3. Rouler les tortillas en serrant.

COLLATION DE L'APRÈS-MIDI

1 petit contenant de yogourt grec à la vanille 0 % de 100 g

QUANTITÉ : 1 portion

75 calories et 9 g de protéines

PAR PORTION		
TENEUR		VQ*
Calories	384	-
Protéines	18 g	-
M.G.	16 g	-
Glucides	46 g	-
Fibres	12 g	48 %
Fer	5 mg	36 %
Calcium	185 mg	17 %
Sodium	85 mg	4 %

* VQ = valeur quotidienne

MARDI SOUPER

Sauté de légumineuses tikka masala

PRÉPARATION 25 MINUTES / CUISSON 10 MINUTES / QUANTITÉ DE 4 À 6 PORTIONS

- 15 ml (1 c. à soupe) d'huile de canola
- 1 oignon haché
- 15 ml (1 c. à soupe) d'ail haché
- 15 ml (1 c. à soupe) de gingembre haché
- 5 ml (1 c. à thé) de curcuma
- 10 ml (2 c. à thé) de garam masala
- 1 boîte de lait de coco de 398 ml
- 1 boîte de haricots rouges de 540 ml, rincés et égouttés
- 1 boîte de pois chiches de 540 ml, rincés et égouttés
- ½ chou-fleur coupé en petits bouquets
- 1 poivron rouge coupé en cubes
- 250 ml (1 tasse) de pois verts
- 250 ml (1 tasse) de yogourt nature 0 %
- 15 ml (1 c. à soupe) de coriandre hachée
- 45 ml (3 c. à soupe) de persil haché
- Sel et poivre du moulin au goût

1. Dans une casserole, chauffer l'huile à feu moyen. Cuire l'oignon, l'ail et le gingembre 1 minute.

2. Ajouter le curcuma et le garam masala. Cuire 30 secondes, jusqu'à ce que les arômes se libèrent.

3. Verser le lait de coco et porter à ébullition.

4. Ajouter les haricots rouges, les pois chiches, le chou-fleur, le poivron rouge et les pois verts. Laisser mijoter de 8 à 10 minutes.

5. Incorporer le yogourt et les fines herbes. Saler, poivrer et remuer. Réchauffer 1 minute en remuant.

CHOISISSEZ VOTRE À-CÔTÉ

Pour 1 portion :

125 ml (½ tasse) de riz basmati cuit
114 calories et 3 g de protéines

125 ml (½ tasse) de riz brun cuit
114 calories et 3 g de protéines

125 ml (½ tasse) de couscous cuit
93 calories et 3 g de protéines

PAR PORTION		
TENEUR		VQ*
Calories	179	-
Protéines	5 g	-
M.G.	6 g	-
Glucides	28 g	-
Fibres	1 g	6 %
Fer	1 mg	6 %
Calcium	79 mg	7 %
Sodium	192 mg	5 %

* VQ = valeur quotidienne

MERCREDI DÉJEUNER

Muffin-déjeuner aux carottes

PRÉPARATION 15 MINUTES / CUISSON 18 MINUTES / QUANTITÉ 12 PORTIONS

- 375 ml (1 ½ tasse) de farine
- 375 ml (1 ½ tasse) de céréales de son de blé (de type All-Bran Buds)
- 60 ml (¼ de tasse) de sucre
- 60 ml (¼ de tasse) de cassonade
- 2,5 ml (½ c. à thé) de cannelle
- 1,25 ml (¼ de c. à thé) de muscade
- 5 ml (1 c. à thé) de poudre à pâte
- 2 pincées de sel
- 5 ml (1 c. à thé) de bicarbonate de soude
- 430 ml (1 ¾ tasse) de kéfir non effervescent à la noix de coco
- 60 ml (¼ de tasse) de beurre fondu
- 1 œuf
- 250 ml (1 tasse) de carotte râpée
- 30 ml (2 c. à soupe) de zestes de mandarine ou d'orange
- 5 ml (1 c. à thé) de vanille
- 180 ml (¾ de tasse) de canneberges séchées

1. Préchauffer le four à 205 °C (400 °F).

2. Dans un bol, mélanger la farine avec les céréales, le sucre, la cassonade, la cannelle, la muscade, la poudre à pâte, le sel et le bicarbonate de soude.

3. Dans un autre bol, fouetter le kéfir avec le beurre fondu, l'œuf, la carotte râpée, les zestes et la vanille.

4. Incorporer graduellement les ingrédients secs à la préparation liquide. Ajouter les canneberges et remuer.

5. Déposer des moules en papier dans les douze alvéoles d'un moule à muffins. Répartir la pâte dans les alvéoles. Cuire au four de 18 à 20 minutes. Ces muffins se conservent de 3 à 4 jours dans un contenant hermétique à température ambiante.

EN ACCOMPAGNEMENT

1 petit contenant de yogourt grec à la vanille 0 % de 100 g

QUANTITÉ : 1 portion

75 calories et 9 g de protéines

COLLATION DU MATIN

125 ml (½ tasse) de boisson de soya à la vanille et 30 ml (2 c. à soupe) de noix mélangées

QUANTITÉ : 1 portion

153 calories et 8 g de protéines

PAR PORTION		
TENEUR		VQ*
Calories	361	-
Protéines	14 g	-
M.G.	18 g	-
Glucides	47 g	-
Fibres	3 g	11 %
Fer	2 mg	17 %
Calcium	141 mg	13 %
Sodium	79 mg	3 %

* VQ = valeur quotidienne

MERCREDI DÎNER

Salade de riz au tofu

PRÉPARATION 20 MINUTES / CUISSON 6 MINUTES / QUANTITÉ 4 PORTIONS

- 15 ml (1 c. à soupe) d'huile d'olive
- 250 g (environ ½ lb) de tofu ferme taillé en petits cubes
- 500 ml (2 tasses) de riz blanc à grains longs cuit
- 18 tomates cerises de couleurs variées coupées en quartiers
- 2 mini-concombres coupés en demi-rondelles
- 1 petit oignon rouge coupé en fines rondelles
- 60 ml (¼ de tasse) de houmous

POUR LA VINAIGRETTE :

- 60 ml (¼ de tasse) de persil haché
- 30 ml (2 c. à soupe) d'huile d'olive
- 30 ml (2 c. à soupe) de menthe hachée
- 15 ml (1 c. à soupe) de miel
- 15 ml (1 c. à soupe) de jus de citron
- 1,25 ml (¼ de c. à thé) de harissa
- Sel au goût

1. Dans un bol, mélanger les ingrédients de la vinaigrette.

2. Dans une poêle, chauffer l'huile d'olive à feu moyen. Faire dorer le tofu de 3 à 4 minutes sur toutes les faces.

3. Verser le quart de la vinaigrette dans la poêle et remuer. Retirer du feu et laisser tiédir.

4. Dans quatre assiettes creuses, répartir côte à côte le riz, le tofu, les tomates cerises, les concombres, l'oignon rouge et le houmous. Napper du reste de la vinaigrette.

PETIT DESSERT

125 ml (½ tasse) de compote de pommes non sucrée

QUANTITÉ : 1 portion

54 calories et 0 g de protéines

COLLATION DE L'APRÈS-MIDI

125 ml (½ tasse) de fromage cottage 1 % avec 10 ml (2 c. à thé) de miel

QUANTITÉ : 1 portion

129 calories et 15 g de protéines

PAR PORTION		
TENEUR		VQ*
Calories	288	-
Protéines	27 g	-
M.G.	12 g	-
Glucides	19 g	-
Fibres	3 g	13 %
Fer	2 mg	16 %
Calcium	35 mg	3 %
Sodium	75 mg	3 %

* VQ = valeur quotidienne

MERCREDI SOUPER

Sauté de porc, choux de Bruxelles et pommes

PRÉPARATION 15 MINUTES / CUISSON 6 MINUTES / QUANTITÉ 4 PORTIONS

- 15 ml (1 c. à soupe) d'huile d'olive
- 450 g (1 lb) de filet de porc émincé
- 500 ml (2 tasses) de choux de Bruxelles coupés en deux
- 2 pommes émincées
- 10 ml (2 c. à thé) d'ail haché
- 30 ml (2 c. à soupe) de vinaigre de cidre
- 15 ml (1 c. à soupe) de miel
- 30 ml (2 c. à soupe) de ciboulette hachée
- Sel et poivre au goût

1. Dans une poêle ou dans un wok, chauffer l'huile d'olive à feu moyen. Cuire le porc de 3 à 4 minutes en remuant de temps en temps.

2. Ajouter les choux de Bruxelles, les pommes et l'ail. Poursuivre la cuisson de 3 à 4 minutes en remuant.

3. Ajouter le vinaigre de cidre, le miel et la ciboulette. Porter à ébullition. Saler et poivrer.

JEUDI DÉJEUNER

Parfait protéiné aux petits fruits

PRÉPARATION 5 MINUTES / QUANTITÉ 1 PORTION

PAR PORTION		
TENEUR		VQ*
Calories	313	-
Protéines	26 g	-
M.G.	14 g	-
Glucides	29 g	-
Fibres	14 g	57 %
Fer	3 mg	18 %
Calcium	424 mg	39 %
Sodium	10 mg	0,4 %

* VQ = valeur quotidienne

- 175 ml (environ ¾ de tasse) de yogourt grec nature 0 %
- 15 ml (1 c. à soupe) de graines de chia
- 30 ml (2 c. à soupe) de graines de tournesol
- 125 ml (½ tasse) de framboises
- 125 ml (½ tasse) de mûres

1. Dans un bol, mélanger le yogourt avec les graines de chia et les graines de tournesol.

2. Garnir de petits fruits et mélanger.

COLLATION DU MATIN

1 galette à la citrouille
(voir la recette à la page 185)

QUANTITÉ : 1 portion

268 calories et 7 g de protéines

PAR PORTION		
TENEUR		VQ*
Calories	366	-
Protéines	22 g	-
M.G.	10 g	-
Glucides	56 g	-
Fibres	12 g	46 %
Fer	4 mg	27 %
Calcium	333 mg	30 %
Sodium	563 mg	23 %

* VQ = valeur quotidienne

JEUDI DÎNER

Salade tex-mex en pot Mason

PRÉPARATION **20 MINUTES** / QUANTITÉ **2 PORTIONS**

- 2 mini-concombres
- ½ poivron rouge
- 8 tomates cerises jaunes
- ½ boîte de haricots rouges de 540 ml, rincés et égouttés
- 250 ml (1 tasse) de maïs en grains
- 125 ml (½ tasse) de mélange de fromages râpés de type tex-mex
- 375 ml (1 ½ tasse) de laitue romaine déchiquetée
- 15 ml (1 c. à soupe) de feuilles de coriandre

POUR LA VINAIGRETTE :

- 60 ml (¼ de tasse) de yogourt nature 0 %
- 15 ml (1 c. à soupe) de crème sure 14 %
- 10 ml (2 c. à thé) de zestes de lime
- 5 ml (1 c. à thé) d'assaisonnements tex-mex
- Sel et poivre au goût

1. Dans un bol, mélanger les ingrédients de la vinaigrette. Répartir la vinaigrette dans deux pots Mason d'une capacité de 1 litre (4 tasses) chacun.

2. Couper les mini-concombres en demi-rondelles, le poivron en dés et les tomates cerises en deux.

3. Répartir les haricots rouges, les mini-concombres, le maïs, le poivron, les tomates cerises, le fromage, la laitue et la coriandre en couches successives et dans cet ordre dans les pots. Fermer les pots et réserver au frais jusqu'au moment de servir.

4. Au moment de servir, secouer les pots afin de mélanger tous les ingrédients avec la vinaigrette.

On mange avec les yeux ! Présenter une salade en pot Mason, ça fait changement et c'est vraiment appétissant !
– Caty

COLLATION DE L'APRÈS-MIDI

23 amandes

QUANTITÉ : 1 portion

160 calories et 6 g de protéines

PAR PORTION		
TENEUR		VQ*
Calories	212	-
Protéines	15 g	-
M.G.	4 g	-
Glucides	31 g	-
Fibres	3 g	14 %
Fer	1 mg	9 %
Calcium	107 mg	10 %
Sodium	910 mg	38 %

* VQ = valeur quotidienne

JEUDI SOUPER

Crevettes poêlées aux mandarines et légumes asiatiques

PRÉPARATION 25 MINUTES / CUISSON 5 MINUTES / QUANTITÉ 4 PORTIONS

- 4 mandarines ou clémentines
- 15 ml (1 c. à soupe) d'huile de sésame (non grillé)
- 250 g (environ ½ lb) de mélange de légumes asiatiques surgelés, décongelés
- 28 crevettes moyennes (calibre 31/40), crues et décortiquées
- 15 ml (1 c. à soupe) de gingembre haché
- 10 ml (2 c. à thé) d'ail haché
- 30 ml (2 c. à soupe) de miel
- 2 oignons verts émincés

POUR LA SAUCE :

- 125 ml (½ tasse) de jus de mandarine fraîchement pressé
- 125 ml (½ tasse) de bouillon de poulet faible en sodium
- 30 ml (2 c. à soupe) de sauce soya faible en sodium
- 15 ml (1 c. à soupe) de sauce aux huîtres
- 2,5 ml (½ c. à thé) de curcuma
- Sel et poivre du moulin au goût

1. Dans un bol, mélanger les ingrédients de la sauce. Réserver.

2. Prélever les suprêmes de mandarines en coupant d'abord l'écorce à vif, puis en tranchant de chaque côté des membranes.

3. Dans une poêle, chauffer l'huile à feu moyen. Cuire le mélange de légumes 2 minutes. Réserver dans une assiette.

4. Dans la même poêle, cuire les crevettes 1 minute de chaque côté. Réserver dans une assiette.

5. Ajouter le gingembre et l'ail dans la poêle. Cuire 1 minute.

6. Verser le miel et la sauce préparée à l'étape 1, puis porter à ébullition.

7. Ajouter les légumes réservés et les crevettes. Cuire de 1 à 2 minutes.

8. Au moment de servir, parsemer d'oignons verts.

« Voilà une recette simple, rapide à préparer… et tellement goûteuse ! J'ai utilisé une conserve de mandarines, ce qui rend la recette encore plus rapide à faire ! »

– Caty

PAR PORTION		
TENEUR		VQ*
Calories	351	-
Protéines	15 g	-
M.G.	14 g	-
Glucides	45 g	-
Fibres	5 g	22 %
Fer	3 mg	20 %
Calcium	81 mg	7 %
Sodium	278 mg	12 %

* VQ = valeur quotidienne

VENDREDI DÉJEUNER

Œuf poché et rôtie

PRÉPARATION 10 MINUTES / CUISSON 5 MINUTES / QUANTITÉ 1 PORTION

- 15 ml (1 c. à soupe) de vinaigre de vin blanc
- 1 œuf
- 1 tranche de pain de blé entier
- 1 banane
- 15 ml (1 c. à soupe) de beurre d'arachide naturel

1. Dans une casserole profonde, porter à ébullition 2 litres (8 tasses) d'eau et le vinaigre. Casser l'œuf dans une tasse. Diminuer l'intensité du feu pour que l'eau frémisse doucement. Faire glisser délicatement l'œuf dans l'eau. Éteindre le feu, couvrir la casserole et laisser l'œuf cuire 4 minutes. À l'aide d'une cuillère trouée, retirer l'œuf de la casserole, puis l'égoutter sur du papier absorbant.

2. Au grille-pain, faire rôtir la tranche de pain.

3. Garnir la tranche de pain de l'œuf poché. Accompagner de la banane et du beurre d'arachide.

COLLATION DU MATIN

15 ml (1 c. à soupe) de canneberges séchées et 30 ml (2 c. à soupe) de noix mélangées

QUANTITÉ : 1 portion

127 calories et 3 g de protéines

VENDREDI DÎNER

Potage de chou-fleur et pois chiches grillés

PRÉPARATION 20 MINUTES / CUISSON 25 MINUTES / QUANTITÉ 4 PORTIONS

PAR PORTION		
TENEUR		VQ*
Calories	406	-
Protéines	15 g	-
M.G.	19 g	-
Glucides	48 g	-
Fibres	8 g	31 %
Fer	4 mg	28 %
Calcium	100 mg	9 %
Sodium	134 mg	6 %

* VQ = valeur quotidienne

- 15 ml (1 c. à soupe) de beurre
- 80 ml (⅓ de tasse) d'échalotes sèches (françaises) hachées
- 20 ml (4 c. à thé) d'ail haché
- 1 gros chou-fleur coupé en petits bouquets
- 1 boîte de pois chiches de 540 ml, rincés et égouttés
- 1,25 ml (¼ de c. à thé) de muscade
- 2,5 ml (½ c. à thé) de cumin
- 2,5 ml (½ c. à thé) de coriandre moulue
- 1,5 litre (6 tasses) de bouillon de légumes sans sel ajouté
- Sel et poivre au goût
- 250 ml (1 tasse) de préparation crémeuse au soya pour cuisiner (de type Belsoy)
- 10 ml (2 c. à thé) d'huile d'olive
- 30 ml (2 c. à soupe) de ciboulette hachée
- 5 ml (1 c. à thé) de paprika

1. Dans une casserole, faire fondre le beurre à feu moyen. Cuire les échalotes et l'ail 1 minute.

2. Ajouter les trois quarts du chou-fleur et des pois chiches. Cuire 2 minutes.

3. Ajouter la muscade, le cumin et la coriandre. Remuer et cuire 30 secondes.

4. Verser le bouillon. Saler et poivrer. Porter à ébullition, puis cuire de 18 à 23 minutes à feu doux-moyen.

5. Incorporer la préparation crémeuse au soya. Cuire 2 minutes.

6. Verser la préparation dans le contenant du mélangeur et émulsionner 1 minute, jusqu'à l'obtention d'une préparation lisse et onctueuse.

7. Dans une poêle, chauffer l'huile à feu moyen. Cuire le reste du chou-fleur et des pois chiches de 3 à 4 minutes en remuant, jusqu'à ce qu'ils soient dorés.

8. Répartir le potage dans les bols. Garnir chaque portion de chou-fleur et de pois chiches grillés. Parsemer de ciboulette et de paprika.

COLLATION DE L'APRÈS-MIDI

1 petit contenant de yogourt grec à la vanille 0 % de 100 g

QUANTITÉ : 1 portion

75 calories et 9 g de protéines

PAR PORTION		
TENEUR		VQ*
Calories	506	-
Protéines	33 g	-
M.G.	25 g	-
Glucides	36 g	-
Fibres	3 g	11 %
Fer	2 mg	17 %
Calcium	165 mg	15 %
Sodium	573 mg	24 %

* VQ = valeur quotidienne

VENDREDI SOUPER

Burgers de truite saumonée, sauce crémeuse ail et aneth

PRÉPARATION 25 MINUTES / RÉFRIGÉRATION 30 MINUTES / CUISSON 10 MINUTES / QUANTITÉ 4 PORTIONS

- 15 ml (1 c. à soupe) d'huile d'olive
- 4 pains à hamburger multigrains
- Quelques feuilles de laitue au choix

POUR LES GALETTES :

- 450 g (1 lb) de truite saumonée, la peau enlevée
- 60 ml (¼ de tasse) de chapelure nature
- 45 ml (3 c. à soupe) de ciboulette hachée
- 15 ml (1 c. à soupe) de moutarde à l'ancienne
- 15 ml (1 c. à soupe) de zestes d'orange
- 1 œuf battu
- Sel et poivre au goût

POUR LA SAUCE :

- 45 ml (3 c. à soupe) de mayonnaise
- 45 ml (3 c. à soupe) de crème sure 14 %
- 45 ml (3 c. à soupe) d'aneth haché
- 10 ml (2 c. à thé) d'ail haché

1. Couper la truite en cubes. Déposer les cubes dans le contenant du robot culinaire et mélanger jusqu'à l'obtention d'une préparation grossièrement hachée.

2. Dans un bol, mélanger les ingrédients des galettes. Réserver au frais 30 minutes.

3. Dans un autre bol, mélanger les ingrédients de la sauce. Réserver au frais.

4. Au moment de la cuisson, façonner quatre galettes d'environ 2 cm (¾ de po) d'épaisseur avec la préparation.

5. Dans une poêle, chauffer l'huile d'olive à feu moyen. Cuire les galettes de 4 à 5 minutes de chaque côté.

6. Diviser les pains en deux et les faire griller 1 minute au four à la position « gril » (*broil*).

7. Garnir chaque pain de feuilles de laitue, d'une galette de truite et de sauce.

« Les garçons préfèrent les burgers de bœuf ? Maman mange une boulette de saumon et eux, une boulette au bœuf : tout le monde est heureux ! »

– Caty

EN ACCOMPAGNEMENT

125 ml (½ tasse) de céleri en bâtonnets et 60 ml (¼ de tasse) de carotte tranchée

QUANTITÉ : 1 portion

23 calories et 1 g de protéines

PAR PORTION		
TENEUR		VQ*
Calories	156	-
Protéines	6 g	-
M.G.	5 g	-
Glucides	28 g	-
Fibres	7 g	28 %
Fer	2 mg	13 %
Calcium	260 mg	24 %
Sodium	50 mg	2 %

*VQ = valeur quotidienne

SAMEDI COLLATION DU MATIN

Verrine de pouding de graines de chia et fraises

PRÉPARATION 15 MINUTES / RÉFRIGÉRATION 40 MINUTES / QUANTITÉ 4 PORTIONS

- 125 ml (½ tasse) de lait d'amandes nature
- 125 ml (½ tasse) de yogourt nature 0 %
- 60 ml (¼ de tasse) de sirop d'érable
- 250 ml (1 tasse) de fraises écrasées
- 2,5 ml (½ c. à thé) de vanille
- 80 ml (⅓ de tasse) de graines de chia

POUR LA SALSA DE FRAISES :

- 8 fraises
- 15 ml (1 c. à soupe) de jus de citron
- 30 ml (2 c. à soupe) de menthe hachée

1. Dans un bol, déposer le lait d'amandes, le yogourt, le sirop d'érable, les fraises écrasées et la vanille. Émulsionner 30 secondes à l'aide du mélangeur-plongeur.

2. Incorporer les graines de chia.

3. Couvrir et réfrigérer 40 minutes, en remuant toutes les 10 minutes.

4. Couper les fraises en dés. Déposer dans un bol et mélanger avec le jus de citron et la menthe.

5. Répartir la préparation au lait d'amandes dans quatre verrines et garnir de salsa de fraises.

DÉJEUNER

1 muffin-déjeuner aux carottes (voir la recette à la page 192)

QUANTITÉ : 1 portion

179 calories et 5 g de protéines

PAR PORTION		
TENEUR		VQ*
Calories	315	-
Protéines	23 g	-
M.G.	18 g	-
Glucides	17 g	-
Fibres	3 g	14 %
Fer	1 mg	11 %
Calcium	269 mg	25 %
Sodium	453 mg	19 %

* VQ = valeur quotidienne

SAMEDI DÎNER

Casserole gratinée de légumes au saumon fumé

PRÉPARATION 15 MINUTES / CUISSON 10 MINUTES / QUANTITÉ 4 PORTIONS

- 15 ml (1 c. à soupe) d'huile d'olive
- 1 oignon coupé en dés
- 2 gousses d'ail émincées
- 2 courgettes coupées en dés
- 1 poivron orange coupé en dés
- 1 poivron rouge coupé en dés
- 60 ml (¼ de tasse) de vinaigre balsamique
- 2 tomates coupées en dés
- Sel et poivre au goût
- 10 feuilles de basilic émincées
- 2 paquet de saumon fumé de 120 g chacun, coupé en morceaux
- 250 ml (1 tasse) de fromage suisse râpé

1. Préchauffer le four à 205 °C (400 °F).

2. Dans une poêle, chauffer l'huile d'olive à feu moyen. Faire revenir l'oignon et l'ail de 1 à 2 minutes.

3. Ajouter les courgettes, les poivrons et le vinaigre balsamique. Poursuivre la cuisson de 2 à 3 minutes.

4. Ajouter les tomates et remuer. Saler et poivrer.

5. Dans quatre ramequins, répartir les légumes, le basilic et le saumon fumé. Remuer. Parsemer de fromage.

6. Cuire au four 5 minutes, jusqu'à ce que le fromage gratine.

COLLATION DE L'APRÈS-MIDI

30 ml (2 c. à soupe) de houmous du commerce avec 250 ml (1 tasse) de céleri en bâtonnets

QUANTITÉ : 1 portion

91 calories et 3 g de protéines

PAR PORTION		
TENEUR		VQ*
Calories	240	-
Protéines	26 g	-
M.G.	12 g	-
Glucides	7 g	-
Fibres	1 g	4 %
Fer	1 mg	6 %
Calcium	46 mg	4 %
Sodium	375 mg	16 %

* VQ = valeur quotidienne

Total de l'assiette : 366 calories

SAMEDI SOUPER

Pétoncles grillés, sauce vierge

PRÉPARATION 10 MINUTES / CUISSON 4 MINUTES / QUANTITÉ 4 PORTIONS

- 2 tomates coupées en petits dés
- 30 ml (2 c. à soupe) de câpres, rincées et égouttées
- 15 ml (1 c. à soupe) de jus de citron
- 30 ml (2 c. à soupe) d'échalote sèche (française) hachée
- 45 ml (3 c. à soupe) d'huile d'olive
- 5 ml (1 c. à thé) d'aneth haché
- Sel et poivre du moulin au goût
- 20 pétoncles moyens (calibre 20/30)

1. Dans un bol, mélanger les tomates avec les câpres, le jus de citron, l'échalote, 30 ml (2 c. à soupe) d'huile d'olive et l'aneth.

2. Saler et poivrer les pétoncles.

3. Dans une poêle, chauffer le reste de l'huile d'olive à feu moyen. Cuire les pétoncles 2 minutes de chaque côté. Servir avec la sauce vierge.

EN ACCOMPAGNEMENT

Purée de patates douces et asperges

QUANTITÉ : 4 portions

PAR PORTION : 126 calories ; protéines 2 g ; matières grasses 6 g ; glucides 16 g ; fibres 3 g (11 % VQ) ; fer 1 mg (6 % VQ) ; calcium 51 mg (5 % VQ) ; sodium 91 mg (4 % VQ) VQ = valeur quotidienne.

Dans une casserole, déposer 500 ml (2 tasses) de patates douces pelées et coupées en cubes ainsi que 1 tige de thym. Couvrir d'eau et saler. Porter à ébullition, puis couvrir et cuire jusqu'à tendreté. Ajouter 125 ml (½ tasse) d'asperges dans la casserole environ 3 minutes avant la fin de la cuisson des patates douces. Égoutter. Retirer la tige de thym. Réduire les patates douces et les asperges en purée avec 30 ml (2 c. à soupe) de beurre fondu et 60 ml (¼ de tasse) de lait 2 % chaud. Saler et poivrer.

PAR PORTION		
TENEUR		VQ*
Calories	262	-
Protéines	6 g	-
M.G.	17 g	-
Glucides	21 g	-
Fibres	3 g	10 %
Fer	3 mg	20 %
Calcium	52 mg	5 %
Sodium	93 mg	4 %

*VQ = valeur quotidienne

SAMEDI DESSERT

Crème brûlée au chocolat noir et zeste d'orange

PRÉPARATION 10 MINUTES / CUISSON 30 MINUTES / RÉFRIGÉRATION 2 HEURES / QUANTITÉ DE 4 À 6 PORTIONS

- 500 ml (2 tasses) de mélange laitier pour cuisson 5 %
- 30 ml (2 c. à soupe) de cacao
- 1 tablette de chocolat noir 70 % de 100 g
- 5 jaunes d'œufs
- 45 ml (3 c. à soupe) de sucre
- 15 ml (1 c. à soupe) de zestes d'orange
- 5 ml (1 c. à thé) de vanille

1. Préchauffer le four à 150 °C (300 °F).

2. Dans une casserole, chauffer le mélange laitier avec le cacao à feu moyen jusqu'aux premiers frémissements.

3. Hors du feu, ajouter le chocolat et laisser fondre. Remuer.

4. Dans un bol, fouetter les jaunes d'œufs avec 30 ml (2 c. à soupe) de sucre, les zestes et la vanille.

5. Incorporer progressivement la préparation au chocolat à la préparation aux jaunes d'œufs en fouettant.

6. Répartir la préparation dans quatre à six moules à crème brûlée ou ramequins. Déposer les moules dans un plat allant au four et verser de l'eau dans le plat jusqu'à mi-hauteur des moules. Cuire au four 30 minutes, jusqu'à ce que les crèmes soient figées.

7. Retirer du four et laisser tiédir sur une grille. Réfrigérer de 2 à 3 heures.

8. Au moment de servir, saupoudrer la surface des crèmes brûlées du reste du sucre. Faire caraméliser à l'aide d'un chalumeau à pâtisserie ou au four à la position « gril » (*broil*).

PAR PORTION		
TENEUR		VQ*
Calories	374	-
Protéines	14 g	-
M.G.	14 g	-
Glucides	48 g	-
Fibres	6 g	26 %
Fer	3 mg	20 %
Calcium	197 mg	18 %
Sodium	80 mg	3 %

*VQ = valeur quotidienne

DIMANCHE DÉJEUNER

Bol-déjeuner au quinoa

PRÉPARATION 15 MINUTES / CUISSON 18 MINUTES / QUANTITÉ 6 PORTIONS

- 375 ml (1 ½ tasse) de quinoa
- 2,5 ml (½ c. à thé) de cannelle
- 750 ml (3 tasses) de lait 2 %
- 45 ml (3 c. à soupe) de beurre d'amandes
- 125 ml (½ tasse) d'amandes tranchées
- 60 g (environ 2 oz) de chocolat mi-sucré haché
- 12 framboises
- 2 pêches coupées en quartiers
- 125 ml (½ tasse) de bleuets

1. Déposer le quinoa dans une passoire fine et le rincer à l'eau froide. Égoutter.

2. Dans une casserole, mélanger le quinoa avec la cannelle et le lait. Porter à ébullition, puis couvrir et cuire à feu doux de 18 à 20 minutes en remuant de temps en temps, jusqu'à ce que le liquide soit presque complètement absorbé.

3. Incorporer le beurre d'amandes et les amandes. Ajouter le chocolat et remuer jusqu'à ce qu'il soit fondu.

4. Répartir immédiatement la préparation dans les bols. Garnir de fruits.

PAR PORTION		
TENEUR		**VQ***
Calories	220	-
Protéines	5 g	-
M.G.	12 g	-
Glucides	28 g	-
Fibres	9 g	38 %
Fer	2 mg	11 %
Calcium	101 mg	9 %
Sodium	23 mg	1 %

*VQ = valeur quotidienne

DIMANCHE COLLATION DU MATIN

Smoothie épinards-orange

PRÉPARATION 10 MINUTES / QUANTITÉ 2 PORTIONS

- 375 ml (1 ½ tasse) d'eau
- 160 ml (⅔ de tasse) d'épinards équeutés
- 30 ml (2 c. à soupe) de graines de lin
- 1 orange pelée, épépinée et coupée en morceaux
- 1 kiwi
- ½ banane
- ½ avocat
- Quelques tiges de persil
- Yogourt grec au choix et au goût (facultatif)

1. Dans le contenant du mélangeur, déposer tous les ingrédients, à l'exception du yogourt grec. Émulsionner de 1 à 2 minutes, jusqu'à l'obtention d'une texture homogène.

2. Si le smoothie est trop liquide, ajouter un peu de yogourt grec. S'il n'est pas assez liquide, ajouter un peu d'eau.

PAR PORTION		
TENEUR		VQ*
Calories	315	-
Protéines	22 g	-
M.G.	18 g	-
Glucides	17 g	-
Fibres	1 g	5 %
Fer	3 mg	20 %
Calcium	254 mg	23 %
Sodium	248 mg	10 %

* VQ = valeur quotidienne

DIMANCHE DÎNER-BRUNCH

Crêpe farcie à l'omelette et fromage suisse

Total de l'assiette : 450 calories

PRÉPARATION **25 MINUTES** / CUISSON **5 MINUTES** / QUANTITÉ **4 PORTIONS**

- 6 œufs
- 125 ml (½ tasse) de fromage suisse léger 17 % râpé
- 80 ml (⅓ de tasse) de fromage de chèvre émietté
- 60 ml (¼ de tasse) de persil haché
- Sel et poivre au goût
- 15 ml (1 c. à soupe) de beurre
- 1 contenant de champignons de 227 g, émincés
- 10 ml (2 c. à thé) d'ail haché
- 60 ml (¼ de tasse) d'échalotes sèches (françaises) hachées

POUR LA PÂTE À CRÊPES :

- 125 ml (½ tasse) de lait 2 %
- 90 ml (⅓ de tasse + 2 c. à thé) de farine
- 7,5 ml (½ c. à soupe) de beurre fondu
- 1 œuf
- Sel et poivre du moulin au goût

1. Dans le contenant du mélangeur, déposer les ingrédients de la pâte à crêpes. Émulsionner 1 minute, jusqu'à l'obtention d'une préparation lisse.

2. Dans une poêle anti-adhésive huilée, verser le quart de la pâte à crêpes. Incliner la poêle dans tous les sens pour en couvrir le fond. Cuire de 2 à 3 minutes à feu doux-moyen, jusqu'à ce que des bulles se forment à la surface de la crêpe. Retourner la crêpe et cuire de 1 à 2 minutes. Répéter avec le reste de la pâte pour former quatre crêpes au total.

3. Dans un bol, fouetter les œufs avec les fromages, le persil, le sel et le poivre.

4. Dans une autre poêle, faire fondre le beurre à feu moyen. Cuire les champignons, l'ail et les échalotes 2 minutes.

5. Verser la préparation aux œufs. Cuire à feu doux de 5 à 6 minutes sans remuer.

6. Couper l'omelette en quatre. Déposer une part d'omelette sur chacune des crêpes et refermer les crêpes.

EN ACCOMPAGNEMENT

Salade pomme et noix

QUANTITÉ : 4 portions

PAR PORTION : 135 calories ; protéines 1 g ; matières grasses 12 g ; glucides 6 g ; fibres 2 g (6 % VQ) ; fer 0,5 mg (4 % VQ) ; calcium 16 mg (1 % VQ) ; sodium 84 mg (4 % VQ) VQ = valeur quotidienne

Dans un saladier, mélanger 30 ml (2 c. à soupe) d'huile d'olive avec 15 ml (1 c. à soupe) de jus de citron et 15 ml (1 c. à soupe) de moutarde à l'ancienne. Saler et poivrer. Ajouter 750 ml (3 tasses) de mélange de laitues printanier, 60 ml (¼ de tasse) de pacanes et 1 pomme émincée. Remuer.

COLLATION DE L'APRÈS-MIDI

125 ml (½ tasse) de compote de pommes non sucrée

QUANTITÉ : 1 portion

54 calories et 0 g de protéines

PAR PORTION		
TENEUR		**VQ***
Calories	268	-
Protéines	29 g	-
M.G.	12 g	-
Glucides	10 g	-
Fibres	1 g	3 %
Fer	1 mg	7 %
Calcium	33 mg	3 %
Sodium	289 mg	12 %

* VQ = valeur quotidienne

DIMANCHE SOUPER

Escalopes de poulet, sauce échalotes et bacon

Total de l'assiette : 382 calories

PRÉPARATION **15 MINUTES** / CUISSON **10 MINUTES** / QUANTITÉ **4 PORTIONS**

- 2 poitrines de poulet sans peau
- 15 ml (1 c. à soupe) d'huile de canola
- 180 ml (3/4 de tasse) d'échalotes sèches (françaises) émincées
- Sel et poivre au goût
- 80 ml (1/3 de tasse) de bouillon de poulet
- 250 ml (1 tasse) de mélange laitier pour cuisson 5 %
- 6 tranches de bacon précuit coupées en morceaux
- 30 ml (2 c. à soupe) de persil haché

1. Trancher les poitrines de poulet en deux sur l'épaisseur afin d'obtenir quatre escalopes.

2. Dans une poêle, chauffer l'huile à feu moyen. Faire dorer les escalopes de 1 à 2 minutes de chaque côté.

3. Ajouter les échalotes et cuire 1 minute. Saler et poivrer.

4. Verser le bouillon et le mélange laitier. Cuire à feu doux-moyen de 8 à 10 minutes, jusqu'à ce que l'intérieur de la chair du poulet ait perdu sa teinte rosée.

5. Réchauffer le bacon quelques secondes au micro-ondes pour qu'il soit croustillant.

6. Parsemer les escalopes de morceaux de bacon et de persil.

« Vraiment délicieux ! Le bacon, ça fait tellement plaisir ! Et la salade, avec ses poires, forme un exquis mélange sucré-salé ! Toute la famille a adoré ! »

– Caty

EN ACCOMPAGNEMENT

Salade de bébés épinards aux poires et pacanes caramélisées

QUANTITÉ : 4 portions

PAR PORTION : 114 calories ; protéines 1 g ; matières grasses 11 g ; glucides 5 g ; fibres 1 g (4 % VQ) ; fer 1 mg (4 % VQ) ; calcium 23 mg (2 % VQ) ; sodium 112 mg (5 % VQ)

Dans un saladier, fouetter 30 ml (2 c. à soupe) d'huile d'olive avec 30 ml (2 c. à soupe) d'eau, 15 ml (1 c. à soupe) de vinaigre de xérès et 15 ml (1 c. à soupe) de moutarde à l'ancienne. Saler et poivrer. Dans le saladier, ajouter 750 ml (3 tasses) de bébés épinards, 2 poires coupées en quartiers et 45 ml (3 c. à soupe) de pacanes. Remuer.

PAR PORTION		
TENEUR		VQ*
Calories	83	-
Protéines	3 g	-
M.G.	2 g	-
Glucides	13 g	-
Fibres	1 g	3 %
Fer	0,1 mg	1 %
Calcium	106 mg	10 %
Sodium	41 mg	2 %

*VQ = valeur quotidienne

DIMANCHE DESSERT

Blanc-manger

PRÉPARATION 10 MINUTES / CUISSON 5 MINUTES / QUANTITÉ DE 4 À 6 PORTIONS

- 500 ml (2 tasses) de lait 2 %
- 5 ml (1 c. à thé) de vanille
- 30 ml (2 c. à soupe) de sucre
- 45 ml (3 c. à soupe) de fécule de maïs
- 12 à 15 framboises

1. Dans une casserole, fouetter le lait avec la vanille, le sucre et la fécule. Porter à ébullition à feu doux-moyen en fouettant, puis cuire 2 minutes à feu doux en fouettant continuellement.

2. Retirer du feu et laisser tiédir. Répartir dans des coupes à dessert et réfrigérer jusqu'au moment de servir.

3. Au moment de servir, parsemer de framboises.

« Le blanc-manger est un dessert simple à cuisiner qui permet d'augmenter facilement notre consommation de produits laitiers. Il est nutritif et a une teneur modérée en glucides tout en fournissant des protéines. De plus, il est polyvalent : on peut l'agrémenter de fruits frais, d'un coulis de fruits, de sirop d'érable ou de miel ! »

— Charlotte

Mon bilan de la semaine 4

Moins de sucre, je comprends, mais moins de sel ?

Dans toutes ses recommandations, Charlotte nous propose des aliments à faible teneur en sodium. Pour une personne ayant des problèmes de santé cardiaque, je comprends, mais qu'est-ce que ça vient faire dans la gestion de mon poids ?

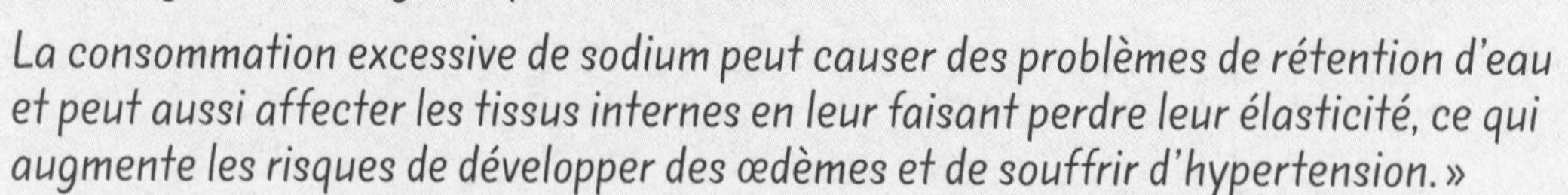

« Le sodium est essentiel au bon fonctionnement de notre corps, mais sa consommation excessive entraîne des effets néfastes pour la santé.

Nous avons hélas tendance à manger salé... Les recommandations suggèrent un apport maximal de 1 500 mg par jour, alors que la consommation moyenne canadienne se situe davantage à 3 500 mg, soit plus du double.

La consommation excessive de sodium peut causer des problèmes de rétention d'eau et peut aussi affecter les tissus internes en leur faisant perdre leur élasticité, ce qui augmente les risques de développer des œdèmes et de souffrir d'hypertension. »

— Charlotte

Un verre d'eau citronnée tous les matins

Lors de nos rencontres de suivi, Charlotte me conseille de commencer mes journées en buvant un verre d'eau citronnée. Je veux bien, mais pourquoi ?

« Pour s'hydrater, l'eau citronnée est un bon choix : son goût vous incitera à en boire plus, et le citron vous fournira de la vitamine C. En version chaude ou froide, c'est aussi bon ! »

– Charlotte

Je mange DES CHIPS… dans mes rêves !

Vous allez rire : une nuit, j'ai rêvé que je mangeais des chips. J'ai raconté cela à mes amies collègues et elles pensaient que cela avait été un beau rêve. Eh bien, non ! Dans mon rêve, j'étais déçue. Déçue de moi-même, d'avoir gâché mes si beaux efforts. Cela m'a fait réfléchir… J'en ai parlé à Charlotte et elle insiste sur le fait qu'il faut mettre de côté toute forme de culpabilité si l'on fait un petit écart. Non, on ne reprendra pas tout le poids perdu. À condition bien sûr de ne pas reprendre toutes nos mauvaises habitudes…

Défi sans alcool ?

Lors de ma première rencontre avec Charlotte, elle m'a posé plusieurs questions sur mes habitudes alimentaires et m'a demandé combien de consommations alcoolisées je prenais. « Euh… Je ne sais pas trop… 2 bières le vendredi, 2 verres de vin le samedi, 1 autre petit verre de vin le dimanche soir, 2 bières au 5 à 7 le jeudi… environ 7 par semaine ! » Ma consommation est bien correcte selon Éduc'alcool, mais beaucoup trop élevée pour Charlotte, qui me recommande plutôt de 0 à 2 consommations par semaine !

Mais là, c'est vendredi, et j'ai le goût d'une bière !

« J'y ai droit, n'est-ce pas, Charlotte ? Pour limiter les dégâts, j'ai décidé d'opter pour une bière légère, la Canadian 67, qui compte seulement 70 calories. »

« Oui, très bonne idée Caty ! Il est important de se faire plaisir de temps en temps ! »

– Charlotte

Ma récompense de la semaine : **rire et dormir**

Mon *chum* est le meilleur des amoureux de la terre. Le samedi matin, il se lève avec les enfants et me laisse dormir plus tard. Faire la grasse matinée, quel bonheur ! Autre plaisir du weekend : regarder une bonne comédie en famille. On se met le cerveau à *off*, on mange un peu de popcorn (sans beurre, évidemment) et on rit un bon coup ! (Selon certaines études, en riant de 10 à 15 minutes par jour, on peut brûler de 10 à 50 calories !)

Et après ?

Voilà, le mois est terminé. Je me sens vraiment fière ! Malgré mes doutes, la sueur et les difficultés rencontrées, tous mes efforts en ont valu la peine : en un mois, j'ai perdu 10 livres ! Quel accomplissement ! Un programme créé par deux expertes en perte de poids constitue un guide fiable. En l'exécutant, j'ai pu valider qu'il était bel et bien pratico-pratique et réalisable. Oui, il faut cuisiner. Oui, il faut modifier ses habitudes. Non, ce n'est pas toujours facile, mais les résultats sont tellement motivants et valorisants ! Mais maintenant que c'est fini, je fais quoi ? Je veux poursuivre et, surtout, conserver ces belles habitudes de vie dans mon quotidien.

Caty

PLAN ALIMENTAIRE : ON PEUT RECOMMENCER ?

Après avoir suivi le plan pendant un mois, peut-on le refaire et espérer voir d'autres résultats ?

« Absolument ! Ce plan se veut équilibré : il s'agit d'une démarche visant à développer de sains réflexes, rien de drastique. Il n'y a donc aucun mal à le poursuivre. **Quant au poids, il continuera de diminuer jusqu'à ce qu'il se stabilise vers le poids naturel, c'est-à-dire jusqu'à ce que le taux de gras corresponde à votre morphologie.** Les résultats peuvent donc varier en fonction de votre type de silhouette. Notez cependant que dans le cas de quelqu'un qui perdrait beaucoup de poids, il serait préférable de faire une révision de plan et de consulter une nutritionniste. » — Charlotte

Ce n'est pas seulement un programme à suivre à court terme, c'est aussi un guide pour adopter un mode de vie sain au quotidien !

L'entraînement après le programme

Pour conserver vos acquis, il est important de maintenir une fréquence d'au moins trois entraînements par semaine (deux séances structurées et de une à deux séances d'exercices cardio). Continuer à être actif tout au long de vos journées est aussi indiqué ! L'idée est que ça fasse littéralement partie de votre nouveau mode de vie.

« Si l'on souhaite continuer à générer des résultats, il faudra éventuellement changer la nature et l'intensité des exercices afin de stimuler les muscles différemment. »

— Karine

Pour les séances structurées, vous pouvez choisir vos exercices préférés dans le plan présenté dans ce livre. **Vous devez toutefois vous assurer de choisir des exercices qui solliciteront les jambes (au moins deux exercices différents), le tronc (abdominaux et dos – de deux à trois exercices), les pectoraux et le dos (un exercice pour chacun d'eux) ainsi que les bras et les épaules (un exercice d'épaule, un de biceps et un de triceps).** Il faut surtout s'assurer d'aller chercher une bonne intensité et que les dernières répétitions soient difficiles à compléter. Pour ce qui est des séances cardiovasculaires, visez deux séances par semaine. Même si les séances sont de courte durée ou de moindre intensité, elles sont très importantes ! Gardez aussi en tête de vous étirer le soir avant de vous coucher pour maintenir votre mobilité.

« Un « tchin » à tous ceux qui ont perdu du poids, que ce soit 5 ou 10 livres. L'adoption de saines habitudes de vie fait toute la différence ! On continue ! »

Les légumes en à-côté

Puisque les légumes font partie d'une alimentation saine, qu'ils peuvent être consommés presque à volonté et que l'inspiration manque trop souvent pour trouver de bonnes recettes d'à-côtés, voici huit idées pour *jazzer* vos accompagnements !

PAR PORTION

TENEUR		VQ*
Calories	61	-
Protéines	1 g	-
M.G.	4 g	-
Glucides	7 g	-
Fibres	1 g	5 %
Fer	1 mg	3 %
Calcium	17 mg	2 %
Sodium	5 mg	0 %

* VQ = valeur quotidienne

Émincé de poivrons aux fines herbes

QUANTITÉ 4 PORTIONS

Dans une poêle, chauffer 15 ml (1 c. à soupe) d'**huile d'olive** à feu moyen. Cuire 3 demi-**poivrons** de couleurs variées émincés, 1 petit **oignon rouge** émincé et 1 gousse d'**ail** émincée de 1 à 2 minutes. Saupoudrer de 10 ml (2 c. à thé) de **thym** haché et de 5 ml (1 c. à thé) de **romarin** haché. Saler et poivrer.

PAR PORTION

TENEUR		VQ*
Calories	137	-
Protéines	1 g	-
M.G.	10 g	-
Glucides	13 g	-
Fibres	3 g	12 %
Fer	1 mg	6 %
Calcium	70 mg	6 %
Sodium	357 mg	15 %

* VQ = valeur quotidienne

Salade de céleri aux olives et fines herbes

QUANTITÉ 4 PORTIONS

Émincer de 8 à 10 branches de **céleri** et leur feuillage. Couper 1 **pomme verte** en dés. Dans un saladier, mélanger le céleri avec le feuillage, la pomme, 30 ml (2 c. à soupe) d'**huile d'olive**, 15 ml (1 c. à soupe) de **jus de citron**, 15 ml (1 c. à soupe) de **sirop d'érable**, 30 ml (2 c. à soupe) de **ciboulette** hachée, 60 ml (¼ de tasse) de **persil** haché, 15 ml (1 c. à soupe) d'**origan** haché et 125 ml (½ tasse) d'**olives vertes** tranchées. Saler, poivrer et remuer.

PAR PORTION

TENEUR		VQ*
Calories	63	-
Protéines	2 g	-
M.G.	4 g	-
Glucides	7 g	-
Fibres	2 g	9 %
Fer	1 mg	5 %
Calcium	20 mg	2 %
Sodium	11 mg	1 %

* VQ = valeur quotidienne

Sauté de poivrons et feuilles de choux de Bruxelles

QUANTITÉ 4 PORTIONS

Effeuiller de 6 à 8 **choux de Bruxelles**. Couper ½ **poivron vert** et ½ **poivron rouge** en cubes. Dans une poêle ou dans un wok, chauffer 15 ml (1 c. à soupe) d'**huile d'olive** à feu moyen-élevé. Cuire les légumes de 2 à 3 minutes. Ajouter 5 ml (1 c. à thé) de **vinaigre de vin blanc** et 5 ml (1 c. à thé) de **miel**. Saler et poivrer. Remuer délicatement.

PAR PORTION

TENEUR		VQ*
Calories	126	-
Protéines	2 g	-
M.G.	10 g	-
Glucides	9 g	-
Fibres	1 g	6 %
Fer	1 mg	5 %
Calcium	24 mg	2 %
Sodium	4 mg	0,2 %

* VQ = valeur quotidienne

Brocoli poêlé aux noisettes et vinaigre balsamique blanc

QUANTITÉ 4 PORTIONS

Dans une poêle, chauffer 15 ml (1 c. à soupe) d'**huile d'olive** à feu moyen. Cuire 60 ml (¼ de tasse) d'**échalotes sèches** (françaises) hachées, 80 ml (⅓ de tasse) de **noisettes** hachées et 15 ml (1 c. à soupe) d'**ail** haché 1 minute. Ajouter 1 **brocoli** coupé en petits bouquets. Saler et poivrer. Cuire de 3 à 4 minutes en remuant fréquemment. Ajouter 30 ml (2 c. à soupe) de **vinaigre balsamique blanc** et remuer.

PAR PORTION		
TENEUR		VQ*
Calories	150	-
Protéines	10 g	-
M.G.	9 g	-
Glucides	11 g	-
Fibres	5 g	20 %
Fer	2 mg	17 %
Calcium	83 mg	8 %
Sodium	8 mg	0,3 %

* VQ = valeur quotidienne

Edamames lime et coriandre

QUANTITÉ 4 PORTIONS

Dans une casserole d'eau bouillante salée, cuire 350 g (environ ¾ de lb) d'**edamames** surgelés de 2 à 3 minutes. Égoutter. Dans une poêle, chauffer 15 ml (1 c. à soupe) d'**huile de sésame** (non grillé) à feu moyen. Cuire 2 **échalotes sèches** (françaises) émincées, 1 gousse d'**ail** émincée et 15 ml (1 c. à soupe) de **gingembre** haché de 1 à 2 minutes. Ajouter les edamames et cuire 30 secondes. Ajouter 15 ml (1 c. à soupe) de **zestes de lime**, 45 ml (3 c. à soupe) de **feuilles de coriandre** et 15 ml (1 c. à soupe) de **graines de sésame**. Saler, poivrer et remuer.

PAR PORTION		
TENEUR		VQ*
Calories	182	-
Protéines	3 g	-
M.G.	5 g	-
Glucides	33 g	-
Fibres	7 g	27 %
Fer	2 mg	11 %
Calcium	98 mg	9 %
Sodium	86 mg	4 %

* VQ = valeur quotidienne

Légumes racines rôtis au miel et épices

QUANTITÉ DE 4 À 6 PORTIONS

Peler 12 **carottes nantaises** de couleurs variées, 6 **panais** et ½ **rutabaga**. Couper les carottes en deux sur la longueur, puis tailler les panais en bâtonnets et le rutabaga en cubes. Dans un saladier, mélanger les légumes avec 12 **oignons perlés** épluchés, 8 gousses d'**ail** pelées, 30 ml (2 c. à soupe) d'**huile d'olive**, 5 ml (1 c. à thé) de **grains de cumin**, 10 ml (2 c. à thé) de **grains de coriandre**, 2,5 ml (½ c. à thé) de **cari** et 15 ml (1 c. à soupe) de **miel**. Saler et poivrer. Étaler la préparation sur une plaque de cuisson tapissée de papier parchemin. Cuire au four de 25 à 30 minutes à 205 °C (400 °F). Au moment de servir, parsemer de 30 ml (2 c. à soupe) de **ciboulette** hachée.

PAR PORTION		
TENEUR		VQ*
Calories	165	-
Protéines	8 g	-
M.G.	4 g	-
Glucides	26 g	-
Fibres	10 g	41 %
Fer	1 mg	10 %
Calcium	77 mg	7 %
Sodium	30 mg	1 %

* VQ = valeur quotidienne

Haricots et tomates au citron

QUANTITÉ 4 PORTIONS

Dans une casserole d'eau bouillante salée, cuire de 20 à 25 **haricots verts et jaunes** de 4 à 5 minutes, jusqu'à tendreté. Égoutter. Dans la même casserole, faire fondre 15 ml (1 c. à soupe) de **beurre** à feu moyen. Cuire les haricots de 2 à 3 minutes. Ajouter de 10 à 12 **tomates cerises rouges** coupées en deux, 15 ml (1 c. à soupe) de **jus de citron** et 5 ml (1 c. à thé) de **zestes de citron**. Saler, poivrer et remuer.

PAR PORTION		
TENEUR		VQ*
Calories	145	-
Protéines	2 g	-
M.G.	12 g	-
Glucides	9 g	-
Fibres	3 g	10 %
Fer	1 mg	7 %
Calcium	31 mg	3 %
Sodium	61 mg	3 %

* VQ = valeur quotidienne

Salade de tomates

QUANTITÉ 4 PORTIONS

Dans un saladier, mélanger 30 ml (2 c. à soupe) de **pesto aux tomates séchées** avec 30 ml (2 c. à soupe) d'**huile d'olive**, 15 ml (1 c. à soupe) de **vinaigre balsamique**, 30 ml (2 c. à soupe) de **basilic** émincé et 60 ml (¼ de tasse) de **feuilles de persil**. Saler et poivrer. Ajouter 4 **tomate**s coupées en quartiers, 10 **tomates cerises jaunes** coupées en deux et ½ **oignon rouge** émincé. Remuer.

Index des recettes

Smoothies

Desserts

Une réalisation de

Éditeur de

Gabrielle